U0239971

本草品汇精要 ②

北京市 2018 年度优秀古籍
整理出版选题扶持入选项目

〔明〕刘文泰 等/撰
曹　晖/校注

北京科学技术出版社

图书在版编目（CIP）数据

本草品汇精要 . 2 /（明）刘文泰等撰；曹晖校注 . —北京：北京科学技术
出版社，2019.10

ISBN 978-7-5714-0217-4

Ⅰ . ①本… Ⅱ . ①刘… ②曹… Ⅲ . ①本草—中国—明代 ②《本草品汇精
要》—研究 Ⅳ . ① R281.3

中国版本图书馆 CIP 数据核字（2019）第 047810 号

本草品汇精要2

校　　注：曹　晖
责任编辑：侍　伟　李兆弟　董桂红　吕　艳
责任校对：贾　荣
责任印制：李　茗
封面设计：蒋宏工作室
图文制作：樊润琴
出 版 人：曾庆宇
出版发行：北京科学技术出版社
社　　址：北京西直门南大街16号
邮政编码：100035
电话传真：0086-10-66135495（总编室）
　　　　　0086-10-66113227（发行部）　0086-10-66161952（发行部传真）
电子信箱：bjkj@bjkjpress.com
网　　址：www.bkydw.cn
经　　销：新华书店
印　　刷：北京捷迅佳彩印刷有限公司
开　　本：787mm×1092mm　1/16
字　　数：465千字
印　　张：38.75
版　　次：2019年10月第1版
印　　次：2019年10月第1次印刷
ISBN 978-7-5714-0217-4/R·2608

定　　价：980.00元

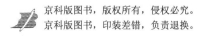

目　录

5

本草品汇精要

·卷之九·

草　部
上品之下

二十三种　**神农本经** 朱字

二种　**名医别录** 黑字

二种　**唐本先附** 注云唐附

五种　**唐本余**

一十种　**陈藏器余**

已上总四十二种，内九[①]**种今增图**

————————

① 九：原作"八"，按《证类本草》"白兔藿"条无图，故实增九图，因据改。

续断　　　　　　　漏芦　　　　　　　营实 根附，今增图

天名精　　　　　　决明子　　　　　　丹参

茜根　　　　　　　飞廉 今增图　　　　五味子

旋花 根名续筋，根附　　兰草 今增图　　忍冬 今增图

蛇床子　　　　　　地肤子　　　　　　千岁藁

景天 花附　　　　　茵陈蒿　　　　　　杜若

沙参　　　　　　　白兔藿 今增图①　　徐长卿

石龙刍 败席附，今增图　薇衔 今增图　　云实 花附

王不留行　　　　　鬼督邮 唐附，今增图　白花藤 唐附，今增图

五种唐本余

地不容　　　　　　留军待　　　　　　独用将军

山胡椒　　　　　　灯笼草

一十种陈藏器余

人肝藤　　　　　　越王余算　　　　　石莼

海根　　　　　　　寡妇荐　　　　　　自缢死绳

刺蜜　　　　　　　骨路支　　　　　　长松

合子草

_____
① 今增图：原无，据义例补。

本草品汇精要卷之九

草部上品之下

○ 草之草

续断

无毒　植生

续断出神农本经。主伤寒，补不足，金疮痈伤，折跌，续筋骨，妇人乳难。久服益气力。以上朱字神农本经。崩中漏血，金疮，血内漏，止痛，生肌肉及踠伤，恶血，腰痛，关节缓急。以上黑字名医所录。

名　龙豆、属折、接骨、南草、
槐。

苗　〔图经曰〕三月已后生
苗，干四棱似苎麻，叶亦类之，
两两相对而生。四月开花，红
白色，似益母花。根如大蓟，
赤黄色。按《范汪方》云：即
是马蓟。与小蓟菜相似，但大
于小蓟尔。叶似旁翁菜而小厚，
两边有刺，刺人，其花紫色，
与今越州生者相类。今之市者
亦有数种，人莫能辨。医家用之，
但以节节断皮黄皱者为真也。

地　〔图经曰〕生常山山谷，
今陕西、河中、兴元府，舒、越、
晋、绛州。〔道地〕蜀川者佳。

时　〔生〕春生苗。〔采〕
七月、八月取根。

收　阴干。

用　根脂润，肥大者为好。

质　类玄参而黄皱。

色　赤黄。

味　苦、辛。

性　微温。

绛州续断

气 气厚于味，阳中之阴。

臭 香。

主 续筋骨。

行 足厥阴经。

助 地黄为之使。

反 恶雷丸。

制 〔雷公云〕去向里硬筋了，酒浸一伏时，横切碎，焙干用。

治 〔疗〕〔药性论云〕主绝伤，去诸温毒，宣通经脉。〔日华子云〕破癥结，瘀血，消毒肿，肠风，痔瘘，乳痈，瘰疬，扑损，妇人产前后一切病，面黄虚肿，缩小便，止泄精，尿血，胎漏，子宫冷。〔别录云〕产后心闷，手足烦热，厌厌气欲绝，血晕，心头硬，乍寒乍热。〔补〕〔日华子云〕助气调血，补五劳七伤。

赝 草茆根为伪。

越州续断

漏芦

无毒，陈藏器云有毒
植生

漏芦_{出神农本经}。主皮
肤热，恶疮，疽痔，
湿痹，下乳汁。久服
轻身益气，耳目聪明，
不老延年。以上朱字神
农本经。**止遗溺，热气
疮痒，如麻豆，可作
浴汤**。以上黑字名医所录。

名 野兰、老翁花、荚蒿。

苗〔图经曰〕茎叶似白蒿，有荚，花黄生荚端，茎若箸大，其子作房，类油麻房而小，七八月后皆黑，异于众草。今诸郡所图上，惟单州者，差相类。沂州者，花叶颇似牡丹。秦州者，花似单叶寒菊，紫色，五七枝同一干上。海州者，花紫碧，如单叶莲花，花萼下及根傍有白茸裹之。根黑色，如蔓菁而细，又类葱本，淮甸人呼为老翁花，三州所生花虽别，而叶颇相类，但秦、海州者，叶更作锯齿状尔。一物而殊类若此，医家何所适从？当依旧说，以单州者为胜。

地〔图经云〕生乔山山谷，今京东州郡及秦州、海州、沂州皆有之。〔蜀本图经曰〕曹、兖州下湿地最多。〔道地〕江宁及上党者佳，单州出者为胜。

时〔生〕春生苗。〔采〕八月取根。

收 日干。

单州漏芦

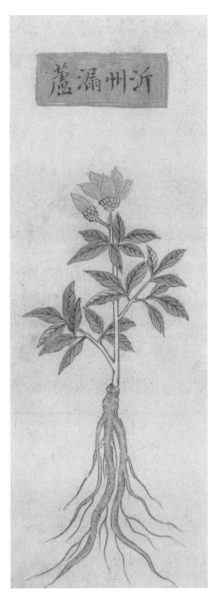

用 南人用苗，北人用根。

色 黑。

味 苦、咸。

性 大寒，泄。

气 气薄味厚，阴也。

臭 腥。

主 疮疡，下乳汁。

助 连翘为之使。

制 〔雷公云〕去芦，以甘草同蒸，从巳至申，去甘草用。

治 〔疗〕〔陶隐居云〕除诸瘘疮疥。〔药性论云〕治身上热毒，风生恶疮，皮肌瘙痒，瘾疹。〔陈藏器云〕杀虫，洗疮疥用之。

合治 合连翘为使，治小儿壮热，通小肠，泄精，尿血，风赤眼，乳痈发背，瘰疬，肠风，排脓，补血并扑损，续筋骨，傅金疮，止血，长肉，通经脉。○杵为散，以一钱匕合猪肝一两，盐少许，水煮熟，空心顿服。治小儿无辜疳，肚胀或时泻痢，冷热不调。○根合苦酒磨，疗疮疥。

赝 木藜芦、独漏为伪。

营实

无毒　蔓生

营实出神农本经。主痈疽，恶疮，结肉，跌筋，败疮热气，阴蚀不瘳，利关节。以上朱字神农本经。久服轻身益气。○根，止泄痢，腹痛，五脏客热，除邪逆气，疽癞，诸恶疮，金疮伤挞，生肉复肌。以上黑字名医所录。

名 蔷薇、墙麻、牛棘、牛勒、蔷蘼、山棘。

苗 〔蜀本图经云〕营实即蔷薇子也。茎间多刺，蔓生，子若杜棠子，其花有百叶，八出、六出，或赤或白，入药以白花者为良。其根可煮酿酒，茎叶亦可作饮。

地 〔图经曰〕生零陵川谷及蜀郡，今所在有之。

时 〔生〕春生苗。〔采〕八月、九月取实。

收 阴干。

用 子、根。

质 类杜棠子。

色 赤、白。

味 酸。〔根〕苦、涩。

性 温、微寒，收。〔根〕冷。

气 气薄味厚，阴中之阳。

臭 香。

主 疮疡。

治 〔疗〕〔药性论云〕除白秃疮，五脏客热。〔日华子云〕消热毒风，痈疽，恶疮，疥癣，牙齿痛，辟邪气，通血结[①]，止赤白痢，肠风泻血，小儿疳虫，肚痛。〔别录云〕鲠及刺不出，以蔷薇灰末服方寸匕，日三。亦治折箭刺入肉，脓囊不出，坚燥及鼠扑，服之十日，鲠、刺皆穿皮出。○根，煮浓汁，稍稍咽，疗口疮及胸中生疮，久不瘥者。

合治 根合酒饮，治少小睡中遗尿不自觉。

---

① 结：原作"经"，据印本、清本改。

天名精

无毒　植生

天名精出神农本经。主瘀血，血瘕欲死，下血，止血，利小便，除小虫，去痹，除胸中结热，止烦渴。久服轻身，耐老。以上朱字神农本经。**逐水，大吐下。**以上黑字名医所录。

名 天门精、麦句姜、莸荵、
地菘、天蔓菁、鹿活草、豕首、
彘颅、天芜菁、蟾蜍兰、豨首、
觐、玉门精、虾蟆蓝、刘炽草、
大菊蘧麦、苐①蒻②。

苗〔图经曰〕夏秋抽条，
颇似薄荷，花紫白色，南人谓
之地菘。香气似兰，故名蟾蜍兰。
状如蓝，故名虾蟆蓝。其味甘、
辛，故名麦句姜。一名豕首，《尔
雅》所谓苐蒻，豕首是也。江
东人用此以焰③蚕蛹。按下品又
有地菘条，云所主功状与此正
同。及据陈藏器《解纷》，合陶、
苏二说，亦以天名精为地菘，
则此条不当重出。虽陈藏器《拾
遗》别立地菘条，此乃陈藏器
自成一书，务多条目尔。《解纷》
《拾遗》亦自差互，后人即不
当仍其谬而重有新附也。今删
去地菘条。

---

① 苐：原注"音列"。
② 蒻：原注"音真"。
③ 焰：原注"音炒"。

地 〔图经曰〕生平原川泽，江湖间皆有之。

时 〔生〕春生苗。〔采〕五月取。

收 暴干。

用 茎、叶。

质 类薄荷。

色 青绿。

味 甘、辛。

性 寒，缓。

气 气之薄者，阳中之阴。

臭 香。

主 清热消毒。

助 垣衣、地黄为之使。

治 〔疗〕〔唐本注云〕破血生肌，止渴，利小便，杀三虫，除诸毒肿，疔疮，瘘痒，金疮内射，身痒，瘾疹不止，揩之立已。〔药性论云〕治疮，止血及鼻衄不止。

○ 草之草

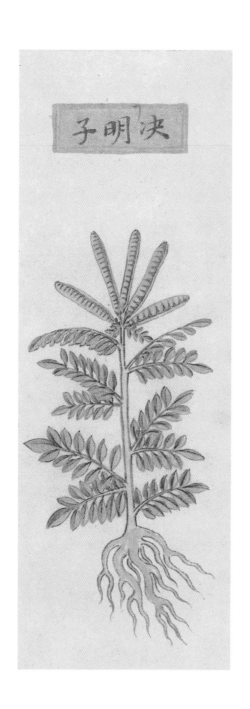

决明子

无毒　植生

决明子_{出神农本经}。主青盲目，淫肤，赤白膜，眼赤痛，泪出。久服益精光，轻身。以上朱字神农本经。**疗唇口青**。以上黑字名医所录。

名 薢茩、英芜。

苗 〔图经曰〕夏初生苗，高三四尺许，根带紫色，叶似苜蓿而大，七月有花，黄白色，其子作穗，如青绿豆而锐。《尔雅》云：薢茩，英芜，释曰：药草，芜明也。郭璞注云：叶黄锐，赤华，实如山茱萸，或曰薆也。关西谓之薢茩，与此种颇不类。又有一种，叶如江豆，子形似马蹄，故谓之马蹄决明也。〔衍义曰〕决明子苗高四五尺，春亦为蔬，秋深结角，其子生角中，如羊肾。今湖南、北人家园圃所种甚多，或在村野，或成段种。《图经》言叶似苜蓿而阔大，甚为允当。

滁州决明子

地 〔图经曰〕生龙门川谷、广州、桂州，今处处有之。

时 〔生〕夏初生苗。〔采〕十月十日取实。

收 阴干百日。

用 子。

色 青碧。

味 咸、苦、甘。

性 平、微寒，泄。

气 气薄味厚，阴中阳也。

臭 朽。

主 益肝明目。

助 蓍实为之使。

反 恶大麻子。

治 〔疗〕〔药性论云〕利五脏，除肝家热，服百日见夜光。〔日华子云〕为末，水调涂，消肿毒；熁太阳穴，疗头痛；贴脑心，止鼻洪；作枕胜黑豆，治头痛，明目。〔补〕〔日华子云〕助肝气，益精。

解 蛇毒。

○ 草之草

丹参

无毒　植生

丹参出神农本经。主心腹邪气，肠鸣幽幽如走水，寒热积聚，破癥除瘕，止烦满，益气。以上朱字神农本经。**养血，去心腹痼疾，结气，腰脊强，脚痹，除风邪留热。久服利人。**以上黑字名医所录。

名 郊蝉草、赤参、木羊乳、奔马草、山参。

苗〔图经曰〕二月生苗，高尺许，茎干方棱，青色，叶生相对，如薄荷而有毛，三月开花红紫色，似苏花，根赤大如指，长一尺余，一苗数根。冬月采者良，夏月采者虚恶，不甚佳也。

地〔图经曰〕出桐柏山川谷及泰山，陕西、河东州郡亦有之。〔道地〕随州。

时〔生〕二月生苗。〔采〕五月、九月、十月取。

收 暴干。

用 根粗壮者佳。

质 类川当归而赤。

色 赤。

味 苦。

性 微寒，泄。

气 气薄味厚，阴也。

臭 腥。

主 养阴血，除邪热。

反 藜芦，畏咸水。

制 去芦，剉碎用。

治〔疗〕〔药性论云〕治脚弱疼痹，主中恶，杀百邪鬼魅，腹痛气作吼声，能定精。〔日华子云〕通利关脉，除冷热劳，骨节疼痛，四肢不遂，排脓止痛，生肌长肉，破宿血，生新血，安生胎，落死胎，止血崩带下，调妇人经脉不匀，血邪心烦，恶疮疥癣，瘿赘肿毒，丹毒，头痛，赤眼热，温狂闷。〔补〕〔日华子云〕养神定志。

合治 合酒浸服，疗风软脚。〇以一两杵为散，每服热酒调下二钱比，治寒疝，小腹及阴中相引痛，自汗出，欲死者。

○ 草之走

茜根

无毒　蔓生

茜根出神农本经。主寒湿风痹，黄疸，补中。以上朱字神农本经。**止血，内崩，下血，膀胱不足，蹉跌，蛊毒。久服益精气，轻身，可以染绛。**以上黑字名医所录。

名　地血、茹藘、茅蒐、牛蔓、蒨。

苗　〔图经曰〕此即今染绛草也，蔓延草木上，叶似枣叶而头尖下阔，三五对生节间，其根紫色。陆机疏云：茹藘，茅蒐，蒨草也。齐人谓之茜，徐人谓之牛蔓。今圃人或作畦种莳，故《货殖传》云：卮茜千石，亦比千乘之家。言地利之厚也。

地　〔图经曰〕生乔山山谷，今近处皆有之。

时　〔生〕春生苗。〔采〕二月、三月、八月取根。

收　暴干。

用　根粗壮者为好。

色　紫赤。

味　苦。

性　寒，泄。

气　气薄味厚，阴中微阳。

臭　朽。

主　吐血，泻。

反　畏鼠姑。

制　〔雷公云〕凡使，去芦，铜刀于槐砧上剉碎，炒用，勿犯铁并铅。

治　〔疗〕〔药性论云〕治六极伤心肺，吐血，泻血。〔日华子云〕止鼻洪，带下，产后血晕，乳结，月经不止，肠风，痔瘘，疮疖，排脓及泄精，尿血，扑损瘀血。〔陈藏器云〕除蛊毒。〔别录云〕除心瘅，心烦，心中热。

合治　合襄荷叶、根，各三两切，以水四升，煮取二升，去滓，适寒温顿服，治中蛊毒或吐下血如烂肝。○合酒煎服，亦杀蛊毒。

赝　赤柳草根为伪。误服令人患内障眼，速服甘草水解之。

飞廉

无毒　植生

飞廉出神农本经。主骨节热，胫重酸疼。久服令人身轻。以上朱字神农本经。头眩顶重，皮间邪风如蜂螫针刺，鱼子细起热疮，痈疽，痔，湿痹，止风邪，咳嗽，下乳汁，益气明目，不老。以上黑字名医所录。

名 天荠、飞轻、伏猪、木禾、飞雉、伏兔。

苗 〔蜀本图经曰〕叶似苦芙，茎似软羽，叶多刻缺，花紫色，子白有毛。〔唐本注云〕一种生山岗上者，叶颇相似而无疏缺，且多毛，茎亦无羽，根直下，更无傍枝。生则肉白皮黑，中有黑脉；干则黑如玄参。用茎叶及根，与《图经》所云者，俱有验也。

地 〔图经曰〕河内川泽，今处处有之。

时 〔生〕春生苗。〔采〕正月取根，七月、八月取花。

收 阴干。

用 叶、茎、花、根。

质 类漏芦。

色 黑。

味 苦。

性 平，泄。

气 味厚于气，阴中之阳。

臭 腥。

主 疮蚀，杀虫。

助 得乌头良。

反 恶麻黄。

制 〔雷公云〕去粗皮了，杵，用苦酒拌之一夜，至明漉出，日干，细杵用。

治 〔疗〕〔药性论云〕主留血。

合治 为散，合浆水下之，治小儿疳痢。

赝 赤脂蔓为伪。

五味子

无毒　蔓生

五味子出神农本经。主益气，咳逆，上气，劳伤，羸瘦，补不足，强阴，益男子精。以上朱字神农本经。**养五脏，除热，生阴中肌。**以上黑字名医所录。

名　会及、玄及、荬、荎藸。

苗　〔图经曰〕春初生苗，引赤蔓于高木，长六七尺，叶尖圆似杏叶，三四月开黄白花，类小莲花，七月成实如豌豆许，生青熟红紫。《尔雅》云：荬，荎藸，即五味也。蔓生，子丛茎端。疏云：今有数种，大抵相近，而以味甘者为佳。一说小颗皮皱泡者，有白色盐霜一重，其味酸、咸、苦、辛、甘味全者，真也。

秦州五味子

地　〔图经曰〕生齐山山谷及代郡，今河东、陕西州郡、秦州、虢州、杭越间亦有。〔唐本注云〕蒲州、蓝田山中，河中府。〔陶隐居云〕青州、冀州。〔道地〕高丽、建平者佳。

时　〔生〕春初生苗。〔采〕八月取。

收　阴干。

用　子滋润而大者佳。

质　类落葵子。

色　赤。

味 酸。

性 温，收。

气 味厚气轻，阴中微阳。

臭 香。

主 咳嗽，生津。

行 手太阴经，足少阴经。

助 苁蓉为之使。

反 恶萎蕤，胜乌头。

制 〔雷公云〕凡用，以铜刀劈作两片，用蜜浸蒸，从巳至申，却，以浆水浸一宿，焙干用，或去梗敲碎用。

治 〔疗〕〔药性论云〕能治中，下气，止呕逆，除热气，病人虚而有气兼嗽，加用之。〔日华子云〕明目，暖水脏，除风下气，消食，霍乱转筋，疝癖，奔豚，冷气，消水肿，反胃，心腹气胀，止渴，除烦热。〔补〕〔药性论云〕诸虚劳，令人体悦泽。〔日华子云〕壮筋骨。〔孙真人云〕五月常服，益肺金之气，在上则滋源，在下则补肾。

合治　合黄芪、人参、麦门冬，少加黄檗，疗季夏之时困乏无力，无气以动，服之使人精神顿加，两足筋力涌出。○合人参、麦门冬，生脉。

解　酒毒。

○ 草之草

旋花

无毒　蔓生

旋花主益气，去面皯
黑色，媚好。其根味
辛，主腹中寒热邪气，
利小便。久服不饥，
轻身。神农本经。

名　筋根花、金沸、美草。

苗　〔图经曰〕苗作丛蔓，叶似山药而狭长，花红白，夏秋间遍生田野，所谓旋葍是也。根无毛节，蒸煮堪啖甚甘美，其根似筋，故名筋根。根主续筋，故南人皆呼为续筋根。下品有旋覆①花，与此殊别，人疑其相近，殊无谓也。黔南出一种旋花，粗茎，大叶，无花，不作蔓，恐别是一物。

地　〔图经曰〕生豫州平泽，今处处皆有之。

时　〔生〕夏秋生苗。〔采〕二月、八月取根，五月取花。

收　根日干，花阴干。

用　花、根。

色　花红白，根土黄。

味　甘、辛。

性　温，散。

气　气之厚者，阳中之阴。

臭　香。

主　续筋骨。

施州旋花

---

①　覆：原作"复"，据清本改。

制　根洗去芦、土。

治〔疗〕〔陶隐居云〕根煮服之，除腹中冷痛。〔陈藏器云〕根，食之不饥及续筋骨，合金疮。同苗捣汁，主丹毒，小儿热毒。

赝　杜若为伪。

○ 草之草

兰草

无毒　<u>丛生</u>

兰草 出神农本经。主利水道，杀蛊毒，辟不祥。久服益气，轻身，不老，通神明。以上朱字神农本经。**除胸中痰癖**。以上黑字名医所录。

名 水香、燕尾香、香水兰。

苗〔衍义曰〕叶如麦门冬而阔且韧，长及一二尺，四时常青，花黄，中间叶上有细紫点。其春芳者为春兰，色深；秋芳者为秋兰，色淡。秋兰稍难得，二兰移植小槛中置座右，花开时满室尽香，与他花香又别。唐白乐天有种兰不种艾之诗，正谓此兰矣。

地〔图经曰〕生大吴池泽，今江陵、鼎、澧州山谷阴湿地之间亦有。

时〔生〕春生苗。〔采〕四月、五月取。

收 阴干。

用 叶、花。

色 青。

味 辛。

性 平，散。

气 气之薄者，阳中之阴。

臭 香。

主 痰癖，恶气。

治〔疗〕〔唐本注云〕煮水，浴，疗风。〔陈藏器云〕主恶气。香泽可作膏，涂发。

○ 草之走

忍冬

无毒 蔓生

忍冬主寒热，身肿。
久服轻身，长年益寿。

名医所录。

名　左缠藤、金银花、鹭鸶藤、老翁须、金钗股。

苗　〔唐本注云〕藤生绕覆草木上，苗茎紫赤色。宿者，有薄白皮膜。其嫩茎有毛，叶似胡豆，亦上下有毛，花白蕊紫。〔别录云〕此藤凌冬不凋，故名忍冬草。其藤左绕附树延蔓，或在园圃之上，藤赤而紫，叶似薜荔而青，三月开花，五出微香，蒂带红色。花初开则色白，经一二日则色黄，故名金银花。《本经》不载治诸恶疮，而近代名医用之多效，其功犹胜于红内消也。

地　〔陶隐居云〕处处有之。

时　〔生〕三月开花。〔采〕十二月取茎叶。

收　阴干。

用　茎、叶、花。

色　青。

味　甘。

性　温，缓。

气　气厚于味，阳中之阴。

臭　香。

主　一切痈疽，五发疮疡。

制　细剉。

治　〔疗〕〔药性论云〕消腹胀满，止气下澼。〔陈藏器云〕主热毒，血痢，水痢。〔别录云〕茎叶煮浓汁服，治飞尸者游走皮肤，穿脏腑，每发刺痛，变作无常；遁尸者附骨入肉，攻凿血脉，每发不可得近；见尸丧、闻哀哭便作风尸者，淫跃四肢，不知痛之所在，每发风昏恍，得风雪便作；沉尸者缠骨结脏，冲心胁，每发绞切，遇寒冷便作；尸疰者举身沉重，精神错杂，常觉昏废，每节气至则辄致大恶。

合治 浸酒治痈疽发背，初发时便当服此，不问疽发何处，发眉、发颐，或头，或顶，或背，或腰，或胁，或妇人乳痈，或在手足，皆有奇效。○煮汁酿酒，补虚疗风。

蛇床子

无毒　丛生

蛇床子出神农本经。主妇人阴中肿痛，男子阴痿，湿痒，除痹气，利关节，癫痫，恶疮，久服轻身。以上朱字神农本经。温中下气，令妇人子脏热，男子阴强，好颜色，令人有子。以上黑字名医所录。

名 蛇粟、虺床、思益、绳毒、盰①、蛇米、马床、墙蘼、枣棘。

苗 〔图经曰〕三月生苗，高一二尺，叶青碎似芎藭，作丛似蒿枝。每枝上有花头百余，结同一窠，似马芹类。四五月开白花，又似散水子，黄褐色，如黍米，至轻虚。

地 〔图经曰〕生临淄川谷及田野湿地，今处处有之。〔道地〕扬州、襄州、南京。

时 〔生〕三月生苗。〔采〕五月取实。

收 阴干。

用 子。

质 类莳萝而细。

色 黄褐。

味 苦、辛、甘。

性 平，散。

气 气厚于味，阳中之阴。

臭 臭。

主 除风，益阳。

反 恶牡丹、巴豆、贝母。

制 〔雷公云〕须用浓蓝汁并百部草根自然汁二味，同浸三伏时，日干，再以生地黄汁拌蒸，从午至亥，日干用。又微炒杀毒即不辣。

治 〔疗〕〔药性论云〕去男子女人虚，湿痹，毒风瘑痛，男子腰疼，浴男女阴，去风冷，大益阳事及大风身痒，煎汤浴之，瘥。疗齿痛及小儿惊痫。〔日华子云〕除暴冷，扑损瘀血，腰胯疼，阴汗湿癣，四肢顽痹，赤白带下，缩小便。〔补〕〔日华子云〕暖丈夫阳气，助女人阴气。

合治 合猪脂，治小儿癣疮。

---

① 盰：原注"音吁"。

○ 草之草

地肤子

无毒　丛生

地肤子<small>出神农本经</small>。主膀胱热，利小便，补中，益精气。久服耳目聪明，轻身耐老。<small>以上朱字神农本经。</small>去皮肤中热气，散恶疮，疝瘕，强阴，使人润泽。<small>以上黑字名医所录。</small>

名　地葵、涎衣草、益明、地麦、鸭舌草、落帚。

苗　〔图经曰〕地肤子，星之精也。初生薄地，高四五尺，根形如蒿，茎赤叶青，大似荆芥。三月开黄白花，子青色。或曰：其苗即独扫也。密州一种，根作丛生，每窠有二三十茎，茎有赤有黄，七月开黄花，其实地肤也。至八月而藜干成可采，正与此地独扫相类。按陶隐居谓：茎苗可谓扫帚。苏恭云：苗极弱不能胜举。二说不同，盖地土所宜而有肥瘠、强弱之异尔。

地　〔图经曰〕生荆州平泽及田野，今关中近地皆有之。〔道地〕密州、蜀州。

时　〔生〕二月生苗。〔采〕四月、五月取叶，八月、十月取实。

收　阴干。

用　子。

质　类一眠起蚕沙。

蜀州地肤子

色　黄褐。

味　苦。

性　寒，泄。

气　气薄味厚，阴也。

臭　腥。

主　益精补气，明目强阴。

治　〔疗〕〔药性论云〕治阴卵㿗疾，作汤沐浴，去热风。
〔日华子云〕治客热，丹毒。〔图经曰〕叶，疗大肠泄泻，止赤白痢，
和气，涩肠胃，解恶疮毒。〔唐本注云〕茎叶捣汁洗目，去热暗，
雀盲，涩痛。

合治　合阳起石同服，治丈夫阴痿不起，补气益力。○为末，
酒调方寸匕，治积年久疹，腰痛有时发动。

○ 草之走

千岁蘽

无毒　蔓生

千岁蘽汁主补五脏，益气，续筋骨，长肌肉，去诸痹。久服轻身，不饥耐老，通神明。名医所录。

名　蘡芙、常春藤、苣苽。

苗　〔图经曰〕藤生似葛，蔓延木上。叶如葡萄，下白而小。四月摘其茎，有白汁而甘。五月开花，七月结实，八月熟时青黑微赤，可食，冬惟叶凋。此藤大者盘薄，故云千岁蘽，即《诗》所谓葛蘽者是也。

地　〔图经曰〕生泰山川谷，今处处有之。

时　〔生〕春生叶。〔采〕夏秋取茎。

收　瓷罐收贮。

用　茎中汁。

质　类葛藤。

色　白。

味　甘。

性　平，缓。

气　气厚于味，阳中之阴。

臭　朽。

主　补五脏，益气。

制　捣取汁。

治　〔疗〕〔日华子云〕止渴，悦色。〔唐本注云〕主哕逆，及伤寒后哕逆更良。〔陈藏器云〕藤水浸吹，取气汁滴目中，去热瞖赤障。

赝　蘡薁藤为伪。

○ 草之草

景天

无毒　<u>丛生</u>

景天出神农本经。主大热火疮，身热烦邪，恶气。○花，主女人漏下赤白，轻身明目。以上朱字神农本经。**诸蛊毒，痂疕，寒热风痹，诸不足。久服通神不老。**以上黑字名医所录。

名　戒火、火母、救火、据火、慎火。

苗　〔图经曰〕春生苗，叶似马齿而大，作层，其上茎极脆弱。夏中开红紫碎花，秋后枯萎，亦有宿根者。人家多种于中庭，或以盆盛植于屋上。云以辟火，谓之慎火草。

地　〔图经曰〕生泰山山谷，今南北皆有之。

时　〔生〕春生苗。〔采〕四月四日、七月七日取花、苗、叶。

收　阴干。

用　花、苗、叶。

质　类马齿苋，作层而叶大。

色　花红紫，苗、叶青。

味　苦、酸。

性　平，泄。

气　味厚于气，阴中之阳。

臭　朽。

主　火疮，风疹。

治　〔疗〕〔图经曰〕苗、叶、花，治疮毒及婴孺风疹在皮肤不出者。〔陶隐居云〕叶，疗金疮，止血，洗浴小儿，去烦热惊气。〔药性论云〕除风疹恶痒，小儿丹毒及发热惊疾。○花，能明目。〔日华子云〕叶，治心烦热狂，赤眼头痛，寒热游风，丹肿，女人带下。〔衍义曰〕根，研汁，涂火心疮。〔别录云〕茎叶生捣，傅小儿赤游，行于体上下，至心即死者。

合治　苗叶五两，合盐三两，同研绞汁，以手磨涂一切热毒丹疮。○阴干苗叶一斤，合酒五升，煮取汁，温分四服，治产后阴下脱。

○ 草之草

茵陈蒿

无毒　植生

茵陈蒿出神农本经。主风湿，寒热邪气，热结，黄疸。久服轻身，益气耐老。以上朱字神农本经。通身发黄，小便不利，除头热，去伏瘕，面白悦，长年。白兔食之仙。以上黑字名医所录。

名 山茵陈。

苗〔图经曰〕春初生苗，高五七寸，似蓬蒿而叶紧细，无花实。秋后叶枯，茎干经冬不死，至春仍因旧苗而生新叶，故名茵陈蒿，今谓之山茵陈也。江宁府一种，叶大根粗，黄白色，至夏有花实。阶州一种，名白蒿，亦似青蒿而背白，本土皆通入药用之，惟京下北地用为山茵陈者最佳也。

地〔图经曰〕生泰山丘陵坡岸及阶州、和州，江南北地皆有之。〔道地〕江宁府、绛州。

时〔生〕春初生苗。〔采〕五月、七月、立秋取。

收 阴干。

用 茎、叶。

质 类蓬蒿而叶紧细。

色 青。

味 苦。

性 平、微寒，泄。

气 气薄味厚，阴中微阳。

臭 香。

江宁府茵陈

主 黄疸，湿热。

行 足太阳经。

制 〔雷公云〕用叶八角者细锉，勿犯火。

治 〔疗〕〔图经曰〕除脑痛，解伤寒，发汗，行肢节滞气，化痰利膈及劳倦最要。亦解肌下膈，去脑中烦。〔药性论云〕疗眼目通身黄，小便赤。〔日华子云〕疗天行时疾，热狂头痛，头旋，风眼疼，瘴疟，女人癥瘕，并闪损乏绝。〔陈藏器云〕通关节，去滞热伤寒。〔孙真人云〕煮汁洗，疗遍身风痒生疮疥。

合治 合山栀子、秦艽、升麻，治伤寒后发汗不彻有留热，身面皆黄，多热，期年不愈者。○合栀子、大黄，除湿热。○合栀子、柏皮，除燥热，俱治阳黄。○合附子，治阴黄。

○ 草之草

杜若

无毒　丛生

杜若出神农本经。主胸胁下逆气，温中，风入脑户，头肿痛，多涕泪出。久服益精，明目轻身。以上朱字神农本经。**眩倒目眴眴，止痛，除口臭气，令人不忘。**以上黑字名医所录。

名 杜蘅、杜莲、白连、白芩、若芝。

苗 〔图经曰〕叶似姜，花赤色，根似高良姜而小，其子如豆蔻。按此草一名杜蘅，而中品自有杜蘅条。杜蘅，《尔雅》所谓土卤者也；杜若，《广雅》所谓楚衡者也。其类自别，然古人多相杂引用。《九歌》云：采芳洲兮杜若。又《离骚》云：杂杜蘅与芳芷。王逸辈皆不分别，但云香草也。今医家亦稀用之。

地 〔图经曰〕生武陵川泽及冤句。〔陶隐居云〕今处处有之。

时 〔生〕春生苗。〔采〕二月、八月取根。

收 暴干。

用 根。

质 类高良姜而细。

色 青白。

味 辛。

性 微温，散。

气 气之厚者，阳也。

臭 香。

主 头痛，泪出。

助 得辛夷、细辛良。

反 恶柴胡、前胡。

制 〔雷公云〕凡修事，采得后刀刮上黄赤皮了，细剉，用二三重绢作袋盛，阴干。临使，以蜜浸一夜，至明漉出用。

赝 鸭喋草为伪。

○ 草之草

沙参

无毒　丛生

沙参出神农本经。主血积，惊气，除寒热，补中，益肺气。久服利人。以上朱字神农本经。疗胃痹，心腹痛，结热邪气，头痛，皮间邪热，安五脏，补中。以上黑字名医所录。

名 知母、苦心、志取、虎须、白参、文希、识美。

苗 〔图经曰〕苗长一二尺，丛生崖壁间。叶似枸杞而有叉丫，七月开紫花。根如葵根，箸许大，赤黄色。中正白实者佳。南土生者，叶有细有大，花白，瓣上仍有白黏胶，此为小异也。

地 〔图经曰〕生河内川谷及冤句、般阳、续山。今出齐、潞州，而江淮、荆湖州郡或有之。〔道地〕淄州、归州、随州、华州。

时 〔生〕春生苗。〔采〕二月、八月取根。

收 暴干。

用 根坚实者为好。

质 类桔梗而微黄。

色 黄。

味 苦。

性 微寒，泄。

气 气薄味厚，阴也。

臭 朽。

主 清肺热，除惊气。

归州沙参

反 藜芦，恶防己。

治〔疗〕〔药性论云〕去皮肌浮风，疝气下坠及常欲眠，养肝气，宣五脏风气。〔日华子云〕止惊烦并一切恶疮，疥癣及身痒，排脓，消肿毒。〔补〕〔日华子云〕补虚，益心肺。

合治 合酒调服方寸匕，治卒得诸疝，小腹及阴中相引痛如绞，自汗出欲死者。

参沙州随

○ 草之走

白兔藿

无毒　蔓生

白兔藿出神农本经。主蛇虺，蜂虿，猘狗，菜肉蛊毒，鬼疰。以上朱字神农本经。风疰，诸大毒不可入口者，皆消除之。又去血，可末着痛上，立消；毒入腹者，煮饮之即解。以上黑字名医所录。

名 白葛。

苗 〔唐本注云〕苗似萝藦，叶圆厚若莼，茎俱有白毛，与众草异。蔓生山南，俗谓之白葛。

地 〔图经曰〕生交州及荆襄山谷、汝州南岗。

时 〔生〕春生苗。〔采〕五月、六月取苗。

收 日干。

用 苗、叶。

质 类萝藦，叶圆厚有毛。

色 白。

味 苦。

性 平，泄。

气 气薄味厚，阴中之阳。

主 风邪热极。

治 〔疗〕〔药性论云〕傅诸毒。

解 诸毒。

○ 草之草

徐长卿

无毒　丛生

徐长卿出神农本经。主鬼物百精，蛊毒，疫疾，邪恶气，温疟。久服强悍，轻身。以上朱字神农本经。**益气延年**。以上黑字名医所录。

名 别仙踪。

苗〔图经曰〕三月生青苗，
叶似小桑。亦有似柳叶，两两
相对而有光润。七八月著子，
似萝藦而小，九月苗黄，十月
而枯。根黄色，似细辛，微粗
长而有臊气。《本经》又名鬼
督邮，其鬼督邮别自有条，今
俗以此代之，非也。

地〔图经曰〕生泰山岩谷
及陇西，今淄、齐、淮、泗间
亦有之。

时〔生〕三月生苗。〔采〕
三月、四月、八月取根。

收 日干。

用 根。

质 类细辛而粗长。

色 黄。

味 辛。

性 温，散。

气 气之厚者，阳也。

臭 臊。

主 蛊毒，疟疾。

制〔雷公云〕粗杵，拌少
蜜令遍，用瓷器盛，蒸三伏时，
日干用。

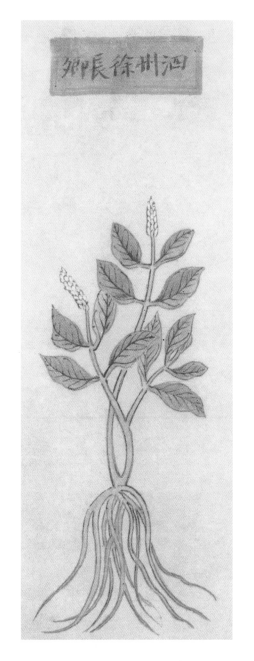

泗州徐长卿

○ 草之草

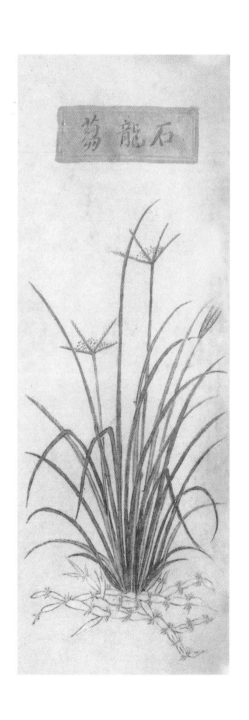

石龙刍

无毒　丛生

石龙刍_{出神农本经}。主心腹邪气，小便不利，淋闭，风湿，鬼疰，恶毒。久服补虚羸，轻身，耳目聪明，延年。以上朱字神农本经。补内虚不足，痞满，身无润泽，出汗，除茎中热痛，杀鬼疰，恶毒气。以上黑字名医所录。

名 龙须、龙华、草续断、方宾、龙珠、悬莞、草毒。

苗 〔陶隐居云〕茎青细相连，实赤。今出近道水石处，似东阳龙须以作席者，但多节尔。〔蜀本图经云〕茎如绖丛生，俗名龙须草，今人以为席者是也。

地 〔图经曰〕生梁州山谷湿地及汾州，今处处有之。

时 〔生〕春生苗。〔采〕五月、七月取茎，八月、九月取根。

收 暴干。

用 茎九节、多味者为好。

质 类麻黄，多节而粗长。

色 青。

味 苦。

性 微寒、微温。

气 气薄味厚，阴中之阳。

臭 香。

主 利水，除热。

治 〔疗〕〔唐本注云〕杀蛔虫及能消食。〔陈藏器云〕止淋及小便卒不通。

○ 草之草

薇衔

无毒　<u>丛生</u>

薇衔出神农本经。主风湿痹，历节痛，惊痫吐舌，悸气，贼风，鼠瘘痈肿。以上朱字神农本经。暴癥，逐水，疗痿蹶。久服轻身明目。以上黑字名医所录。

名　麋衔、承膏、吴风草、无颠、无心、承肌、鹿衔草。

苗　〔蜀本图经云〕叶似菀蔚，丛生有毛，黄花，根赤黑。〔唐本注云〕此草似白头翁，其叶有毛，茎赤。南人谓之吴风草，一名鹿衔草。言鹿有疾，衔之即瘥。又有大小二种，楚人谓大者为大吴风草，小者为小吴风草也。

地　〔图经曰〕生汉中川泽及冤句、邯郸。

时　〔生〕春生苗。〔采〕七月取茎、叶。

收　阴干。

用　茎、叶。

质　类菀蔚。

色　叶青，茎赤。

味　苦。

性　平、微寒，泄。

气　气薄味厚，阴中之阳。

主　除风湿，消痈肿。

助　得秦皮良。

治　〔疗〕〔唐本注云〕祛贼风。

合治　以五分合泽泻、术各十分，以三指撮为后饭，治酒风，身热解堕，汗出如浴，恶风少气。

禁　妇人服之，绝产无子。

云实

无毒　丛生

云实出神农本经。主泄痢，肠澼，杀虫蛊毒，去邪恶结气，止痛，除寒热。○花，主见鬼精物，多食令人狂走。久服轻身，通神明，益寿。以上朱字神农本经。实，消渴。○花，杀精物，下水，烧之致鬼。以上黑字名医所录。

名　员实、云英、天豆、马豆。〔苗〕羊石子草、臭草、草云母。

苗　〔图经曰〕苗高五六尺，叶如槐而狭长。枝上有刺，花黄白色，作荚，实若麻子大，黄黑色，俗名马豆。《本经》云：十月采用。今当三月、四月采苗，五月、六月采实，恐过时则枯落也。〔唐本注云〕丛生泽傍，叶如苜蓿，枝间微刺。其实大如黍，黄黑色似豆，故名天豆。

地　〔图经曰〕生河间川谷。〔蜀本图经云〕今所在平泽中皆有之。〔道地〕瀛州。

时　〔生〕春生苗。〔采〕三月、四月取苗，五月、六月取实。

收　暴干。

用　子、花。

质　类黍米。

色　子黄黑，花黄白。

味　辛、苦。

性　温，散、泄。

气　气厚味薄，阳中之阴。

臭　朽。

主　消渴，泄痢。

制　〔雷公云〕凡使，采得后粗捣，相对拌浑颗橡①实，蒸一日后出用。

治　〔疗〕〔图经曰〕治疟。

———————

① 橡：原作"豫"，据清本改。

○ 草之草

王不留行

无毒　植生

王不留行出神农本经。主金疮，止血，逐痛出刺，除风痹内寒。久服轻身，耐老增寿。以上朱字神农本经。**止心烦，鼻衄，痈疽，恶疮，瘘乳，妇人难产。**以上黑字名医所录。

名 禁宫花、剪金花、剪金草。

苗 〔图经曰〕苗茎俱青，高七八寸已来。根黄色如荠根，叶尖如小匙头，亦有似槐叶者。四月开花，黄紫色，随茎而生，如松子状，又似猪蓝花，俗谓之剪金草。河北一种叶圆花红，与此小别。〔蜀本图经曰〕叶似松蓝等，花红白色，子壳似酸浆实，圆黑如黍粟。

地 〔图经曰〕生泰山山谷及江浙、河中府，今近处皆有之。〔道地〕成德军、江宁府。

时 〔生〕春生苗。〔采〕二月、八月取苗、茎，五月取实。

收 晒干。

用 实。

质 类酸浆实而圆黑。

色 黑。

味 苦、甘。

性 平，泄。

气 气之薄者，阳中之阴。

臭 朽。

成德军王不留行

主 金疮，瘘乳。

制〔雷公云〕凡采得拌浑蒸，从巳至未出，却，下浆水浸一宿，至明出，焙干用之。

治〔疗〕〔图经曰〕除诸风痉。〔药性论云〕去风毒，通血脉。〔日华子云〕治发背，游风，风疹，妇人经血不匀及难产。〔别录云〕竹木刺在肉中不出疼痛，水调傅即出。

○ 草之草

鬼督邮

无毒　<u>丛生</u>

鬼督邮主鬼疰，卒忤，中恶，心腹邪气，百精毒，温疟，疫疾，强腰脚，益膂力。名医所录。

名 独摇草。

苗 〔唐本注云〕苗惟一茎，叶生茎端若繖[①]，根如牛膝而细黑。今人以徐长卿代之，非也。〔蜀本云〕徐长卿、赤箭之类，亦名鬼督邮，但主治不同，宜审用也。又《图经》云：茎似细箭竿，高二尺已下，叶生茎端，状伞盖，根横而不生须，花生叶心，黄白色。

地 〔唐本注云〕所在有之。

时 〔生〕春初生苗。〔采〕二月、八月取根。

收 晒干。

用 根。

质 类牛膝而细黑。

色 黑。

味 辛、苦。

性 平，泄、散。

气 气之薄者，阳中之阴。

制 〔雷公云〕细剉捣，用生甘草水煮一伏时，漉出用。

---

① 繖：原注"音伞"。

○ 草之走

白花藤

无毒　蔓生

白花藤主虚劳，风热，
酒渍服之。名医所录。

苗　〔唐本注云〕蔓生，苗似野葛，叶有细毛，花白色。根似牡丹，骨柔皮白而厚，凌冬不凋。〔雷公云〕菜花藤真似白花藤，只是味不同。菜花藤味酸涩，不堪用；白花藤味甘，为异也。

地　〔图经曰〕生岭南交州、广州平泽。

时　〔生〕春生新叶。〔采〕无时。

收　阴干。

用　茎。

色　白。

味　苦、甘。

性　寒，泄。

气　气薄味厚，阴也。

臭　香。

主　退虚热。

制　〔雷公云〕去根细剉，阴干用之。

解　诸药、菜、肉中毒。

赝　菜花藤为伪。

五种唐本余 [①]

草之走： 地不容 无毒　**蔓生**

地不容主烦热，辟瘴疠，利喉闭及痰毒。名医所录。

名 解毒子。

苗 〔图经曰〕蔓生，叶青如杏叶而大，厚硬，凌冬不凋。无花实，根黄白色，外皮微粗褐，累累相连，如药实而圆大。

地 〔图经曰〕生山西谷、戎州。

时 〔生〕春生新叶。〔采〕无时。

收 日干。

用 根。

质 类药实而圆大。

色 黄白。

味 苦。

性 大寒，泄。

气 气薄味厚，阴也。

主 辟瘴气。

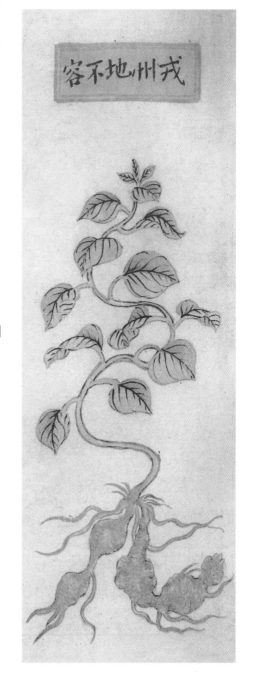

戎州地不容

_____

① 五种唐本余：原脱，据目录补。

治〔疗〕〔图经曰〕治咽喉闭塞。

解 蛊毒。

留军待味辛，温，无毒。主肢节风痛，筋脉不遂，折伤瘀血，五缓挛痛。生剑州山谷。其叶似楠木而细长，采无时。

独用将军味辛，无毒。主治毒肿，奶痈，解毒，破恶血。生林野，采无时。节节穿叶，心生苗，其叶似楠，根并采用。

山胡椒味辛，大热，无毒。主心腹痛，中冷，破滞。所在有之。似胡椒，颗粒大如黑豆，其色黑，俗用有效。

灯笼草味苦，大寒，无毒。主上气咳嗽，风热，明目。所在有之，八月采。枝竿高三四尺，有花红色，状若灯笼，内有子红色可爱。根、茎、花、实并入药使。

一十种陈藏器余

人肝藤主解诸毒药，肿游风，脚手软痹。并研服之，亦煮服之，亦傅病上。生岭南。叶三桠，花紫色。一名承露仙；又有伏鸡子，亦名承露仙。叶圆，与此名同物异。别录云①《广志》云：生岭南山石间，引蔓而生，主虫毒及手脚不遂等风，生研服。疗中蛊毒，人肝藤以清水磨一弹丸

---

① 别录云：《证类本草》作"海药云"。

饮之，不过三两服。

越王余算味咸，平，无毒。主下水，破结气。生南海水中。如竹算子，长尺许。《异苑》曰：晋安有越王余算，叶白者似骨，黑者似角。云是越王行海，作筹有余，弃于水中而生。《海药》云谨按《异苑记》云：昔晋安越王因渡南海，将黑角白骨算筹所余弃水中，故生此，遂名算。味咸，温，主水肿，浮气，结聚，宿滞不消，腹中虚鸣，并宜煮服之。

石莼味甘，平，无毒。下水，利小便，生南海中水石上。《南越志》云：似紫菜，色青。《临海异物志》曰：附石生也。《海药》云主风秘不通，五膈气并小便不利，脐下结气，宜煮汁饮之。胡人多用治耳疾。

海根味苦，小温，无毒。主霍乱，中恶，心腹痛，鬼气注忤，飞尸，喉痹，蛊毒，痈疽，恶肿，赤白游疹，蛇咬犬毒。酒及水磨服，傅之亦佳。生会稽海畔、山谷。茎赤，叶似马蓼，根似菝葜而小也，海人极用之。《海药》云胡人采得，蒸而用之。余并用。

寡妇荐主小儿吐痢，霍乱。取二七茎煮饮之。

自缢死绳主卒发癫狂。烧为末，服三指撮。三年陈蒲，煮服之亦佳。

刺蜜味甘，无毒。主骨热，痰嗽，痢暴，下血，开胃，止渴，除烦。生交河沙中。草头有刺，上有毛，毛中生蜜，一名草蜜，胡人叫为给勃罗。

　　骨路支味辛，平，无毒。主上气浮肿，水气呕逆，妇人崩中，余血，癥瘕，杀三虫。生昆仑国。苗似凌霄藤，根如青木香。安南亦有，一名飞藤。

　　长松味甘，温，无毒。主风血冷气宿疾，温中去风。草似松，叶上有脂，山人服之。生关内山谷中。

　　合子草有小毒。子及叶主蛊毒，螫咬，捣傅疮上。蔓生岸傍。叶尖花白，子中有两片如合子。

　　本草品汇精要卷之九

本草品汇精要

·卷之十·

草　　部
 中品之上

已上总四十四种，内二种今定，二种今增图

菓^① 耳实<small>苍耳也，叶附</small>　葛根<small>汁、叶、花附</small>　葛粉<small>宋附</small>

栝楼根^②<small>茎、叶附</small>　栝楼实<small>原附栝楼下，今分条</small>

苦参　　　　当归　　　　麻黄

木通<small>今定，子名燕覆子附</small>　通草<small>今定并分条</small>　白^③ 芍药

赤芍药<small>原附芍药下，今分条并增图</small>　蠡^④ 实<small>马蔺子也，花、叶附</small>

瞿^⑤ 麦<small>叶附</small>　　玄参　　　秦艽^⑥

百合<small>红百合附</small>　　知母　　　贝母

白芷　　　　淫羊藿<small>仙灵脾也</small>　黄芩

狗脊　　　　石龙芮　　　茅根<small>苗、花、针、屋茅附</small>

紫菀　　　　紫草　　　　前胡

败酱　　　　白鲜　　　　酸浆<small>根、子附</small>

郁金香<small>宋附，自木部今移并增图</small>

一十二种陈藏器余

兜纳香　　　风延母　　　耕香

大瓠藤水　　筋子根　　　土芋

优殿　　　　土落草　　　猰菜

必似勒　　　胡面莽　　　海蕴

---

① 菓：原注"私以切"。

② 根：原无，据正文药名补。

③ 白：原无，据正文药名补。

④ 蠡：原注"音礼"。

⑤ 瞿：原注"音劬"。

⑥ 艽：原注"音胶"。

本草品汇精要卷之十 [①]

草部中品之上

······································○ 草之草

葈耳实

有小毒　丛生

葈 [②] 耳实出神农本经。主风头寒痛，风湿周痹，四肢拘挛痛，恶肉死肌。久服益气，耳目聪明，强志轻身。以上朱字神农本经。膝痛，溪毒。以上黑字名医所录。

---

① 卷之十：原脱，据清本补。
② 葈：原注"私以切"。

名　胡菜、地葵、常思、苍耳、苓耳、卷耳、常枲、爵耳、蒾、羊负来、白胡①菨、耳珰草、道人头。

苗　〔图经曰〕陆机疏云：叶青白似胡菨，白华，细茎，丛生，可煮为茹，滑而少味。四月中生子，正如妇人耳珰，今或谓之耳珰草。郑康成谓是白胡菨，幽州人呼爵耳。郭璞云：叶似鼠耳，丛生如盘，今之所有皆类此，但不作蔓生耳。诗人谓之卷耳，《尔雅》谓之苍耳，《广雅》谓之枲耳，皆以实得名也。或曰：此物本生蜀中，其实多刺，因羊过之，毛中粘缀，遂至中国，收者名羊负来，俗呼为道人头也。

地　〔图经曰〕出安陆川谷及江东、幽州、蜀中、六安田野，处处有之。〔道地〕滁洲。

时　〔生〕二月、三月。〔采〕五月五日午时取叶，七月取实。

收　日干。

用　实、叶。

质　类枣核而多刺。〔叶〕如鼠耳。

色　黄褐。〔叶〕青白。

味　苦、甘。〔叶〕苦、辛。

性　温，缓。〔叶〕微寒，泄。

气　气厚味薄，阳中之阴。

臭　朽。

主　头风，湿痹。

制　〔雷公云〕凡采得，去心，取黄精切拌之同蒸，从巳至亥。去黄精，取出，阴干用。今炒香，捣去刺。

----

① 胡：原作"葫"，据"苗"项文中药名改。

治〔疗〕〔药性论云〕除肝家热，明目。〔日华子云〕除一切风气及瘰疬，疥癣，瘙痒。〔孟诜云〕中风，伤寒头痛。〔陈藏器云〕叶挼安舌下，令涎出，去目黄，好睡。〔补〕〔日华子云〕填髓，暖腰脚。

合治　子炒香，捣去刺使腹破，合酒浸，去风补益。○烧灰，和腊月猪脂，封疔肿出根。○生捣根、叶，合小儿尿绞汁，冷服一升，治疔疮困重。○花、叶、子等分捣罗为末，合豆淋酒调服二钱匕，疗妇人风瘙瘾疹，身痒不止。

忌　猪肉、米泔。

○ 草之走

葛根

无毒　附汁、叶、花
蔓生

葛根出神农本经。主消渴，身大热，呕吐，诸痹，起阴气，解诸毒。○葛谷，主下痢十岁已上。以上朱字神农本经。疗伤寒，中风头痛，解肌发表，出汗，开腠理，疗金疮，止痛，胁风痛。○生根汁，大寒，疗消渴，伤寒壮热。○叶，主金疮，止血。○花，主消酒。以上黑字名医所录。

名 鸡齐根、鹿藿、黄斤、葛脰。

苗 〔图经曰〕春生苗，引藤蔓长一二丈，紫色，叶颇似楸叶而青。七月著花，似豌豆花，不结实。根形如手臂，紫黑色，以入土深者为佳。〔唐本注云〕葛谷即是实尔。葛虽除毒，其根入土五六寸已上者，名葛脰①。服之令人吐，以其有微毒也。

地 〔图经曰〕生汶山川谷及成州、海州，今处处有之。〔道地〕江浙、南康、庐陵。

时 〔生〕春生苗。〔采〕五月五日午时取根。

收 暴干。

用 根、叶、花、谷、汁。

质 形如手臂而长。

色 皮紫黑，肉白。

味 甘。

性 平，缓。

气 气味俱轻，阳中之阴。

① 脰：原注"脰，胫也"。

臭 香。

主 止烦渴，解肌热。

行 足阳明经，手阳明经。

制 刮去皮，或捣汁用。

治 〔疗〕〔药性论云〕治天行上气，呕逆，开胃下食，止烦
渴。熬屑治金疮。〔日华子云〕去胸膈热，心烦闷，热狂，止血
痢，通小肠，排脓破血，傅蛇虫啮。〔衍义曰〕除中热，酒渴。
〔汤液本草云〕益阳生津。〔图经曰〕生根汁，除臀腰痛及金创，
中风痉欲死者，灌之，瘥。○叶，主金刃疮及山行伤刺，血出不止。
〔陶隐居云〕生根汁，解温病发热，亦疗疟及疮。〔唐本注云〕汁，
主猘狗啮。○蔓，烧灰，主喉痹。

合治 合黄芩、黄连，治大热，解肌，开腠理。○汁合豉，治时气，
头痛壮热。○合藕汁，治热毒下血，或因吃热物发动者。

解 野葛、巴豆、百药毒，酒毒、署箭毒，食诸菜中毒。

葛粉

无毒　蔓生

葛粉主压丹石，去烦热，利大小便，止渴，小儿热痞，以葛根浸汁饮之，良。名医所录。

苗〔图经曰〕葛粉即葛根之所作也，今人多食之，甚益人。〔衍义曰〕葛根，澧[①]、鼎之间，冬月取生葛以水中揉出粉澄块垛。先煎汤使沸，后擘成块，下汤中，良久色如胶，其体甚韧。彼人以此供茶，盖取其甘美耳。

地〔图经曰〕生汶山川谷，今处处有之。〔道地〕江浙尤多，南康、庐陵间最胜。

时〔生〕春生苗。〔采〕冬月取根。

收 暴干。

用 粉。

质 类豆粉而韧。

色 白。

---

① 澧：原作"丰"，据清本改。

味 甘。

性 大寒。

气 气之薄者，阳中之阴。

臭 香。

主 烦热，止渴。

行 足阳明经。

制 以水中揉出成粉用。

治 〔疗〕〔陈藏器云〕裹小儿热疮。〔别录云〕中鸩毒气欲绝者，灌之，良。

合治 合粟米，疗胸中烦热或渴，心燥。○合糜饮，治小儿壮热，呕吐不住食，惊痫。○合蜜搽少生姜尤佳，治中热，酒渴疾有效。

禁 多食，行小便，使人利。

○ 草之走

栝楼根

无毒　蔓生

栝楼根出神农本经。主消渴，身热，烦满，大热，补虚，安中，续绝伤。以上朱字神农本经。除肠胃中痼热，八疸身面黄，唇干口燥，短气，通月水，止小便利。○茎、叶，疗中热，伤暑。以上黑字名医所录。

名 地楼、泽姑。

苗〔图经曰〕三四月生苗，引藤蔓，叶如甜瓜叶，作叉。有细花，七月开，浅黄色，似葫芦花，实在花下生。其根惟岁久入土深者为佳，卤地生者有毒。〔陶隐居云〕藤生，状如土瓜而叶有叉，根入土六七尺而大，二三围者用之。

地〔图经曰〕生洪农山谷及山阴地皆有之。〔道地〕衡州及均州、陕州者最佳。

时〔生〕春生苗。〔采〕二月、八月取。

收 暴三十日成。

用 根坚实者佳。

质 类白药。

色 白。

味 苦。

性 寒，泄。

气 气薄味厚，阴也。

臭 腥。

主 解热生津，散肿消毒。

助 枸杞为之使。

均州栝楼

反 乌头，畏牛膝、干漆，恶干姜。

制 刮去皮，剉碎用。

治 〔疗〕〔图经曰〕止消渴。〔唐本注云〕作粉，退虚热。〔日华子云〕通小肠，排脓，消肿毒，生肌长肉，消扑损瘀血，治热狂时疾，乳痈发背，痔瘘疮疖。〔别录云〕捣涂折伤，重布裹之，热除痛止。

合治 为末，合酽醋调涂，治热游丹赤肿。○生根捣汁合蜜，暖相合服，治小儿发黄。○水煮酿酒，久服，治耳聋。○烧灰合米饮服，治乳无汁。

○ 草之走

栝楼实

无毒　蔓生

栝楼实主胸痹，悦泽人面。名医所录。

名　黄瓜、果蠃、果蓏、天瓜。

苗　〔图经曰〕三四月生苗，引藤于垣墙篱落及屋宇之上。叶如甜瓜叶，作叉。有细花，七月开，浅黄色，似葫芦花，实在花下，大如拳。有正而圆者，有锐而长者，生青，至秋后熟赤黄色，功用皆同。〔尔雅云〕果蠃之草，其实名栝楼，即《诗》所谓果蓏之实，亦施于宇是也。

地　〔图经曰〕生洪农山谷及山阴地，今所在有之。〔道地〕衡州及均州、陕州者佳。

时　〔生〕春生苗。〔采〕十月取实。

收　阴干。

用　仁。

质　类冬瓜仁而苍。

色　苍黄。

味　苦。

性 寒，泄。

气 气薄味厚，阴也。

臭 焦。

主 消结痰，散痈毒。

助 枸杞为之使。

反 乌头，畏牛膝、干漆，恶干姜。

制 剥去壳及皮膜，微炒。

治 〔疗〕〔日华子云〕治面皱，吐血，肠风，泻血，赤白痢。〔名医别录云〕头疼发热，胸膈痛彻背，及心腹痞满，气不得通。〔补〕〔日华子云〕虚劳，口干，润心肺。

合治 合干葛粉，银石器中炒热调服，疗肺燥热渴，大肠秘。○合半夏熬膏为丸，疗痰嗽，利胸膈。○合白酒，疗乳肿痛。○合薤白、白酒、半夏，疗卒患胸痹痛。○汁，合蜜、朴硝，疗时疾发黄，心狂烦热，闷不认人者。○合酒调服，下乳汁。

○ 草之草

注：据正文，图中应作"成德军苦参"

苦参

无毒　植生

苦参出神农本经。主心腹结气，癥瘕，积聚，黄疸,溺有余沥,逐水,阴痛肿,补中,明目,止泪。以上朱字神农本经。养肝胆气，安五脏，定志益精，利九窍，除伏热,肠澼,止渴,醒酒，小便黄赤，疗恶疮,下部䘌,平胃气。令人嗜食，轻身。以上黑字名医所录。

名 水槐、地槐、菀槐、骄槐、虎麻、岑茎、陵郎、禄白、白茎、苦蘵[1]。

苗〔图经曰〕春生苗，高二三尺，三四月开黄白花，七月作荚，实如小豆子，河北生者无花子。其根黄白色，长五七寸，粗细并生三五茎。其叶青碎，极似槐叶，故曰水槐。其味甚苦，谓之苦参也。

地〔图经曰〕出汝南山谷及田野间，今近道处处皆有之。〔道地〕成德军、秦州、邵州。

时〔生〕春生苗。〔采〕三月、八月、十月取根、实。

收 暴干。

用 根、实。

质 根如桑根，实似小豆。

色 黄白。

味 苦。

性 寒，泄。

气 气薄味厚，阴也。

臭 腥。

---

① 蘵: 原注"音识"。

主 疮疹，恶虫。

助 玄参为之使。

反 藜芦，恶贝母、漏芦、菟丝子。

制 〔雷公云〕凡使，不计多少，先须用糯米浓泔汁浸一宿，上有腥秽气，并在水面上浮，必须重重淘过。即蒸，从巳至申，出，晒干，细剉用。

治〔疗〕〔药性论云〕去热毒风，皮肌烦燥生疮，赤癞眉脱，除大热，嗜睡及腹中冷痛，中恶，腹痛体闷，并去心腹积聚。〔日华子云〕杀疳虫。〔补〕〔唐本注云〕饵实如槐子法，久服轻身不老，明目。

合治 炒苦参带烟出，为末，合饭饮下，疗肠风泻血并热痢。○合酒渍饮，疗癞疾，若觉痹即瘥。

禁 久用揩齿伤肾，使人腰疼。

○ 草之草

当归

无毒　植生

当归出神农本经。主咳
逆上气，温疟寒热，
洗^①在皮肤中，妇人漏
下绝子，诸恶疮疡^②金
疮，煮饮之。以上朱字
神农本经。**温中止痛，**
除客血内塞，中风痓，
汗不出，湿痹，中恶，
客气虚冷，补五脏，生
肌肉。以上黑字名医所录。

---

① 洗：原注"音癣"。
② 疡：原注"音羊"。

名 干归、山蕲。

苗〔图经曰〕春生苗，绿叶有三瓣。七八月开花，似莳萝，浅紫色，根黑黄色。然苗有二种，都类芎䓖而叶有大小为异，茎梗比芎䓖甚卑下。根亦二种，大叶名马尾当归，细叶名蚕头当归，大抵肉厚而不枯者为胜。《广雅》云：山蕲，当归也，似蕲而粗大。《说文》云：蕲，草也，生山中者名薜，又名山蕲。然则当归，芹类也，在平地者名芹；生山中而粗大者，名当归也。

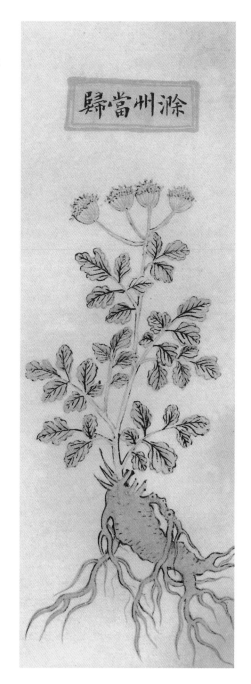

地〔图经曰〕生陇西川谷，今陕西诸郡及江宁府、滁州皆有之。〔道地〕以川蜀及陇西、四阳、文州、宕州、当州、翼州、松州者最胜。

时〔生〕春生苗。〔采〕二月、八月取根。

收 阴干。

用 根多韧润者为好。

质 类前胡，大而多尾。

色 黑黄。

味 甘、辛。

性 温，散。

气 气味俱轻，阳也。又云：阳中微阴。

臭 香。

主 诸血，疮疡。

行 手少阴经，足太阴经、厥阴经。

助 酒为之使。

反 畏菖蒲、海藻、牡蒙，恶蘭茹、湿面。

制 去土，酒洗，焙用。

治 〔疗〕〔药性论云〕止呕逆，虚劳，寒热，破宿血，女子崩中下血，肠胃冷，止痢，腹痛。单煮汁饮，治温疟，主女人沥血，腰痛并齿疼痛不可忍者。患人虚冷，加而用之。〔日华子云〕治一切风，一切血，破恶血及癥癖。〔汤液本草云〕除血刺痛。〔东垣云〕头止血。○身养血。○梢破血。○全活血。〔补〕〔药性论云〕补诸虚不足。〔日华子云〕补一切劳，养新血。

合治 合人参、黄芪能补血。○合大黄、牵牛能破血。

○ 草之草

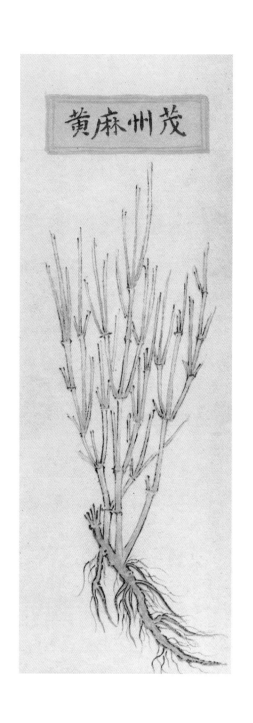

麻黄

无毒　丛生

麻黄出神农本经。主中风，伤寒头痛，温疟，发表出汗，去邪热气，止咳逆上气，除寒热，破癥坚，积聚。以上朱字神农本经。五脏邪气，缓急风胁痛，字乳余疾，止好唾，通腠理，疏伤寒头疼，解肌，泄邪恶气，消赤黑斑毒。以上黑字名医所录。

名　龙沙、卑相、卑盐。

苗　〔图经曰〕春生苗，至
夏五月则长及一尺许，梢上有
黄花，结实如百合瓣而小，又
似皂荚子。味甘可啖，皮红仁
黑，根紫赤色。俗云：有雌雄
二种，雌者于三月、四月开花，
六月结子；雄者无花而不结子。
〔酉阳杂俎云〕茎端开花，花
小而黄，簇生，子如覆盆子，
可食。

地　〔图经曰〕生晋地及河
东，今处处多有之。〔唐本注云〕
开封府郑州鹿台及关中沙苑河
傍、沙洲上太多。〔道地〕茂州、
同州、荥阳、中牟者为胜。

时　〔生〕春生苗。〔采〕
立秋后取茎、根。

收　阴干。

用　茎、根。

质　类小草而有节。

色　青。〔根〕黄赤。

味　苦。

性　温，散。

黄麻州同

气　气味俱轻，阳也。

臭　朽。

主　解表发汗。

行　手阳明经、少阴经、太阴经，足太阳经。

助　厚朴、白薇为之使。

反　恶辛夷、石韦。

制　〔雷公云〕用夹刀剪去节并头，槐砧上用铜刀细锉，煎三四十沸，竹片掠去上沫，尽，漉出，晒干用之。若不尽，令人心闷。〔图经曰〕丸散内用皆不必煮。今用发汗，但去节。

治　〔疗〕〔药性论云〕茎，散毒风，瘙痹，皮肉不仁，壮热，瘟疫。○根，能止汗。〔日华子云〕通九窍，调血脉，开毛孔皮肤，逐风退热，御山岚瘴气。

合治　绵裹，酒煮服，治伤寒表热发疸。冬用酒，春用水。及产后腹痛，血下不尽。○合桂枝、芍药、杏仁、甘草，治伤寒。○合射干、厚朴，治肺痿上气。○去节合蜜炒，水煎，乘热服，疗病疮疱倒靥[①]黑。○根末合牡蛎粉、粟粉扑之，止盗汗。

禁　不可多服，令人虚。

---

① 靥：原作"𪐨"，据印本改。

木通

无毒　蔓生

木通出神农本经。主去恶虫，除脾胃寒热，通利九窍，血脉关节，令人不忘。以上朱字神农本经。疗脾疸，常欲眠，心烦，哕出音声。疗耳聋，散痈肿，诸结不消及金疮，恶疮，鼠瘘，踒折，齆①鼻，息肉，堕胎，去三虫。以上黑字名医所录。

---

① 齆：原注"音瓮"。

名 附支、丁翁、王翁、万年、菖藤。〔子〕燕覆子、乌覆、桱子、
畜菖子、桴棪子。

苗 〔图经曰〕生作藤蔓，大如指，其茎干大者，径约二三寸，
每节有二三枝。枝头出五叶，颇类石韦。又似芍药，三叶相对。
夏秋开紫花，亦有白花者。结实如小木瓜，核黑瓤白，食之甘美。
〔陶隐居云〕绕树藤生汁，白茎有细孔，纹如车辐，两头皆通，
含一头吹之，则气出彼头者，良。

地 〔图经曰〕生石城山谷及山阳，今泽、潞、汉中、广州、江淮、湖南州郡亦有之。〔道地〕海州、兴元府、解州。

时 〔生〕春生叶。〔采〕正月、二月取茎，七月、八月取子。

收 阴干。

用 茎、实。

质 类葡萄藤而有纹理。

色 苍。

味 辛、甘。〔子〕甘。

性 平，散。〔子〕平、寒。

气 气味俱薄，阳中之阴。

臭 微香。

主 通经利窍，散肿消痈。

制 去皮，剉碎用。

治 〔疗〕〔药性论云〕治五淋，利小便，开关格，疗多睡，去水肿浮大，除烦热。○根，治项下瘤瘿。〔日华子云〕安心除烦，止渴退热，治健忘，明耳目，治鼻塞，通小肠下水，破积聚血块，排脓，消疮疖，止痛，催生下胞，女人血闭，月候不匀，天行时疾，头痛目眩，嬴劣，乳结及下乳。〔陈藏器云〕子，利大小便，宣通去烦热，食之令人心宽，止渴下气。〔孟诜云〕子，厚肠胃，令人能食，下三焦，除恶气，续五脏，断绝气，使语声足，气通十二经脉。〔别录云〕治瘘疮，喉咙痛及喉痹，煎磨并宜服，急则含之。○子，治胃口热闭，反胃不下食，除三焦客热。

合治 煎汤合葱食之，理风热淋疾，小便数急疼痛，小腹虚满。

禁 妊娠不可服。

○ 草之木

通草

无毒　植生

通草治阴窍不利，除水肿闭，利小便，治五淋，明目退热，催生，下胞，下乳。名医所录。

名 通脱木、离南草、活莌、寇脱、倚商。

苗 〔图经曰〕生山侧，茎高五七尺，叶似蓖^①麻。心空有瓢，轻虚正白可爱，女工取以饰物。《尔雅·疏》云：大若树，然故又谓之通脱木也。〔谨按〕通脱木，据《图经》苗茎，即是今之通草耳。《本经》以木通主疗注之，故致名质难辨。考诸《汤液本草》，通草、木通自是二种，木通茎折之，纹如车辐，其通草茎中有瓢，轻虚正白，灼然明矣，用之不可混为一也。

地 〔图经曰〕生江南。

时 〔生〕春生苗。〔采〕八月取茎。

收 日干。

用 茎。

色 皮苍褐，肉白。

味 甘、辛。

性 平，散。

气 气味俱薄，阳中之阴。

臭 朽。

主 通窍下乳。

制 去皮，剉用。

治 〔疗〕〔图经曰〕疗瘰疬。○花下粉，治诸虫瘘，恶疮，痔疾。取粉内疮中。

禁 妊娠不可服。

① 蓖：原作"草"，按卷十三"蓖麻子"条原注"蓖，音草"，二字系通假字，因据改。

白芍药

有小毒　<u>丛生</u>

白芍药[①]出神农本经。主邪气腹痛，除血痹，破坚积，寒热疝瘕，止痛，利小便，益气。以上朱字神农本经。**通顺血脉，缓中，散恶血，逐贼血，去水气，利膀胱、大小肠，消痈肿，时行寒热，中恶，腹痛，腰痛。**以上黑字名医所录。

---

① 白芍药：原作"芍药"，据标题药名改。

名 白木、余容、犁食、解仓、铤。

苗 〔图经曰〕春生红芽，作丛，茎上三枝五叶，似牡丹而狭长，高一二尺。夏开花，有红、白、紫色数种，子似牡丹子而小，秋时采根。〔衍义曰〕芍药全用根，其品亦多，但千叶者则根虚，须用单叶、山中者为佳。

地 〔图经曰〕生中岳川谷及丘陵，今处处有之。〔道地〕泽州、白山、蒋山、茅山、淮南、海盐、杭越。

时 〔生〕春生芽。〔采〕二月、八月取根。

收 暴干。

用 根坚实者为好。

质 类乌药而细白。

色 白。

味 苦、酸。

性 平，微寒。

气 气薄味厚，阴中之阳。

臭 腥。

主 腹痛，健脾。

行 手太阴经，足太阴经。

助 雷丸为之使。

反 藜芦，畏消石、鳖甲、小蓟，恶石斛、芒消。

制 生用或炒用，酒浸行经。

治 〔疗〕〔药性论云〕主腹中疞痛，骨热。〔日华子云〕治女人一切病，产前后诸疾，通月水，退热除烦，惊狂，妇人血晕，肠风，泻血，头痛，下痢及血虚腹痛。〔补〕〔药性论云〕强五脏，益肾气。〔日华子云〕补劳益气。

合治 合白术，补脾。○合川芎，补肝。○合人参、白术，补气。

禁 血虚寒人，不可多服。

○ 草之草

赤芍药

有小毒　丛生

赤芍药利小便，下气，
泻肝行经，通顺血脉，
散恶血，消痈肿。名医
所录。

名 花根。

苗〔图经曰〕春生红芽，作丛，茎高一二尺，叶似牡丹而狭长，夏开花红色，其实似牡丹子而小。〔衍义曰〕花赤者为赤芍药。〔谨按〕芍药所重在根，须以花红而单叶者，由其花不繁则根气实也。然有赤白二种，色既不同，其与白者所治必异，故后人用白补赤泻，以其色在西方故补，色在南方故泻也。

地〔图经曰〕生中岳川谷及丘陵，今处处有之。〔道地〕茅山者最胜。〔日华子云〕海盐、杭越者亦佳。

时〔生〕春生芽。〔采〕二月、八月取根。

收 暴干。

用 根肥实者为好。

质 类乌药而皮赤。

色 赤。

味 酸、苦。

性 微寒，泄。

气 气薄味厚，阴中之阳。

臭 腥。

主 活血止痛。

行 手、足太阴经。

助 雷丸为之使。

反 藜芦，畏消石、鳖甲、小蓟，恶石斛、芒消。

制 以竹刀刮去粗皮，细剉，微炒。生亦可用。

治〔疗〕〔药性论云〕除血气积聚，宣通脏腑壅气，心腹坚胀，妇人血闭不通，消瘀血、败血。〔日华子云〕治痔瘘，发背，疮疥，目赤，胬肉，明目。

合治 赤芍药一两，合槟榔一个，面裹煨为末，水煎服，治五淋。

○ 草之草

蠡实

无毒　丛生

蠡实出神农本经。主皮肤寒热，胃中热气，风寒湿痹，坚筋骨，令人嗜食。久服轻身。○花、叶，去白虫。以上朱字神农本经。止心烦满，利大小便，长肌肤，肥大，疗喉痹。以上黑字名医所录。

名　荔实、剧草、三坚、豕首、马蔺子、旱蒲、豚耳。

苗　〔图经曰〕叶如薤而长厚，即马蔺子也。三月开紫碧花，五月结实作角，子如麻，大而赤色有棱，根细长，通黄色，人多取以为刷。

地　〔图经曰〕生河东川谷，今陕西诸郡及鼎、澧州亦有之，近京尤多。〔道地〕冀州。

时　〔生〕春生苗。〔采〕四月取花，五月取实。

收　阴干。

用　花、实。

质　类麻子而肥圆。

色　赤黑。

味　甘。

性　温，缓。

气　气之厚者，阳也。

臭　朽。

主　坚筋骨，利大小便。

制　捣末用。

治　〔疗〕〔图经曰〕治喉痹肿痛。〔唐本注云〕止金疮血内流，痛肿。〔日华子云〕主妇人血气烦闷，产后血晕并经脉不止，崩中带下，止鼻洪，吐血，通小肠，消酒毒，治黄病，傅蛇虫咬。〔别录云〕治鼻病，酒皶。

合治　合干姜、黄连各等分为散以煮热汤，调服方寸匕，治水痢，百起冷热痢，良。服时忌猪肉、冷水。

禁　多服，令人溏泄。

○ 草之草

瞿麦

无毒　丛生

瞿①麦 出神农本经。主关格，诸癃结，小便不通，出刺，决痈肿，明目，去翳，破胎堕子，下闭血。以上朱字神农本经。**养肾气，逐膀胱邪逆，止霍乱，长毛发。**以上黑字名医所录。

---

① 瞿：原注"音劬"。

名 巨句麦、大菊、大兰、石竹叶、杜母草、蘥蒌、燕麦、蘥①麦。

苗 〔图经曰〕苗高一二尺，叶尖小青色，如柳叶而有锯齿，根紫黑色，形如细蔓菁。二月至五月开花，红紫赤色，亦似映山红，七月结实作穗，颇似麦，故以名之。

地 〔图经曰〕生泰山川谷、河阳、河中府、淮甸，今处处有之。〔道地〕绛州。

时 〔生〕春生苗。〔采〕立秋取实，秋后合子、叶取。

收 阴干。

用 子、叶。

质 形如大麦。

色 淡黄。

味 苦、辛。

性 寒，泄。

气 气薄味厚，阴中之阳。

臭 朽。

主 利小便，通关格。

助 蓑草、牡丹为之使。

反 恶螵蛸。

制 〔雷公云〕凡用，先以堇竹沥浸一伏时，漉出，晒干用。生用亦可。

治 〔疗〕〔图经曰〕通心经，利小肠。〔药性论云〕除五淋。〔日华子云〕催生。○叶，治痔瘘，泻血，作汤粥食并得。小儿蛔虫，煎汤服。丹石药发，并眼目肿痛及肿毒，捣傅。治浸淫疮并妇人阴疮。

---

① 蘥：原作"蒢"，据义理改。

○子，治月经不通，破血块，排脓。

合治 合栝楼根、大附子、茯苓、山芋等分，杵末蜜丸，服之疗小便不利，有水气。

禁 妊娠不可服，小肠虚者不宜服。

○ 草之草

玄参

无毒　植生

玄参出神农本经。主腹中寒热，积聚，女子产乳余疾，补肾气，令人目明。以上朱字神农本经。主暴中风，伤寒身热，支满狂邪忽忽不知人，温疟洒洒，血瘕，下寒血，除胸中气，下水止烦渴，散颈下核，痈肿，心腹痛，坚癥，定五脏。久服补虚明目，强阴益精。以上黑字名医所录。

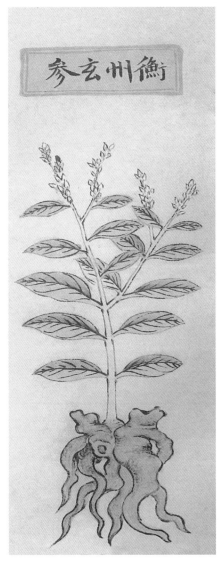

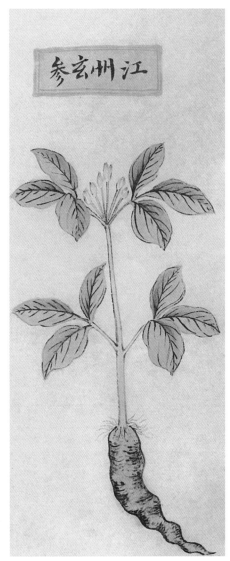

名　重台、玄台、鹿肠、正马、咸端、逐马。

苗〔图经曰〕二月生苗，叶似脂麻，又如槐柳，细茎，青紫色。七月开花，青碧色。八月结子，黑色。亦有白花、茎方大、紫赤色、细毛、有节若竹者，高五六尺，叶如掌大而尖长如锯齿。其根生青白，干即紫黑，新者润腻，一根可生五七枚，合香亦用之。

地〔图经曰〕生河间川谷及冤句，今处处有之。〔道地〕江州、衡州、邢州。

时〔生〕二月生苗。〔采〕三月、四月、八月、九月取根。

收 暴干。

用 根黑润者为好。

质 形如续断而黑。

色 紫黑。

味 苦、咸。

性 微寒，泄。

气 气薄味厚，阴也。

臭 香。

主 清咽喉之肿，泻无根之火。

行 足少阴经。

反 藜芦，恶黄芪、干姜、大枣、山茱萸。

制〔雷公云〕凡采得，须用蒲草重重相隔，人甑蒸两伏时，后出，晒干用。

治〔疗〕〔药性论云〕除暴结热，热风喉痛，伤寒劳复，并散瘤瘿，瘰疬。〔日华子云〕止健忘，消肿毒及游风，头风热毒，心惊烦躁，劳①乏骨蒸，传尸邪气。〔补〕〔日华子云〕补虚羸劳损。

合治 合升麻、葛根、芍药、甘草，疗伤寒阳毒发斑。合酒饮，疗诸毒，鼠瘘。

禁 勿犯铜器，饵之噎人喉，丧人目。

---

① 劳：原作"劣"，据印本改。

○ 草之草

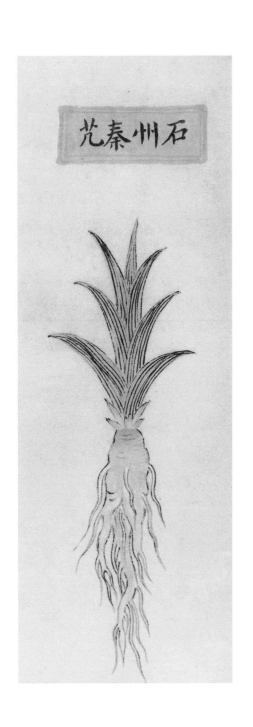

秦艽

无毒　植生

秦艽出神农本经。主寒热邪气，寒湿风痹，肢节痛，下水，利小便。以上朱字神农本经。**疗风无问久新，通身挛急。**以上黑字名医所录。

名 秦瓜。

苗 〔图经曰〕枝干高五六寸，叶婆娑连茎梗，俱青色如莴苣叶，六月中开紫色花，似葛花，当月结子。根土黄色而相交纠，长一尺许，粗细不等。〔陶隐居云〕根皆作罗纹相交，黄白色，中多衔土。

地 〔图经曰〕生飞乌山谷及石州、宁化军、秦州、齐州，今河陕州军多有之。〔陶隐居云〕今出甘松、龙洞、蚕陵。〔道地〕泾州、鄜州、岐州者良。

时 〔生〕春生苗。〔采〕二月、八月取根。

收 暴干。

用 根罗纹者为佳。

质 形如防风而粗虚。

色 土褐。

味 苦、辛。

性 平、微温，散。〔日华子云〕冷。

气 味厚于气，阴中微阳。

臭 腥。

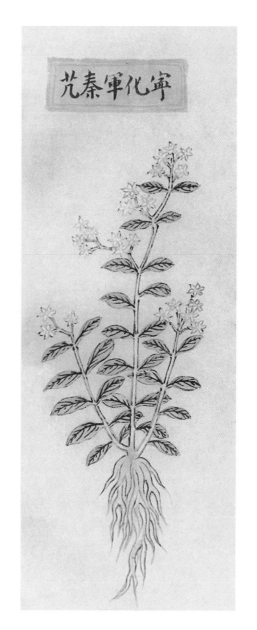

宁化军秦艽

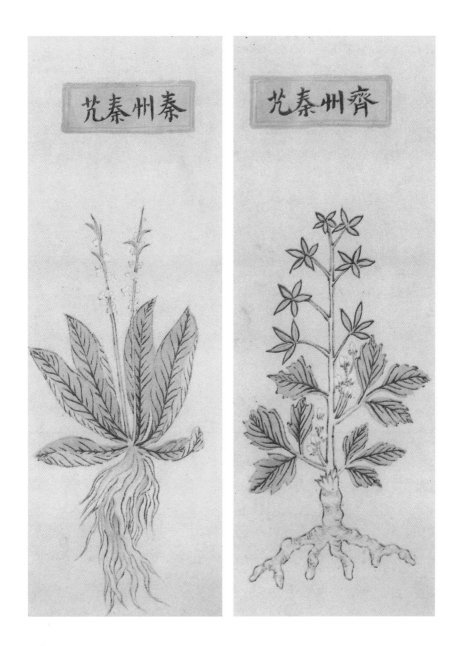

主 风湿，黄疸。

行 手阳明经。

助 菖蒲为之使。

反 畏牛乳。

制 〔雷公云〕以布拭去黄毛，破开去土，汤洗，剉碎用。

治〔疗〕〔图经曰〕黄病有数种，伤酒曰酒黄；夜食误餐鼠粪亦作黄病；因劳发黄。多痰涕，目有赤脉，日益憔悴，或面赤恶心，用之皆效。〔日华子云〕主传尸骨蒸，消疳及时气。〔萧炳云〕治酒黄，黄疸，大效。

合治 合牛乳点服之，利大小便，瘥五种黄病，去头风及发背疑似者。○秦艽十二分、牛乳一升同煮七合，去滓，分温再服，治黄疸，心烦热，口干，皮肉皆黄。

禁 多服解米脂，人食谷不充悦。

解 酒毒。

百合

无毒　植生

百合出神农本经。主邪气腹胀，心痛，利大小便，补中益气。以上朱字神农本经。除浮肿，胪胀，痞满，寒热，通身疼痛及乳难，喉痹，止涕泪。以上黑字名医所录。

名　重箱、摩罗、强瞿、重迈、中庭、中逢花。

苗　〔图经曰〕苗高数尺，干粗如箭。四面有叶如鸡距，又似柳叶，青色，叶近茎微紫，茎端碧白。四五月开红、白花，如石榴嘴而大。根如胡蒜，重叠生二三十瓣。又一种花黄有黑斑，细叶，叶间有黑子，不堪入药。〔衍义云〕茎高三尺许，叶如大柳叶，四向攒枝而上。其颠有长蕊，开淡黄白花，四垂向下覆长蕊，花心有檀色。每一枝颠须五六花。子紫色，圆如梧子，生于枝叶间，每叶一子，不在花中。

地　〔图经曰〕生荆州川谷。〔吴氏云〕冤句、荆山及近道，处处皆有之。〔道地〕滁州、成州。

时　〔生〕春生苗，四五月开花。〔采〕二月、八月取。

收　暴干。

用　根下子瓣。

质　类胡蒜而有瓣。

滁州百合

色 白。

味 甘。

性 平，缓。

气 气之薄者，阳中之阴。

臭 腥。

主 伤寒，百合病。

制 蒸熟用。

治 〔疗〕〔药性论云〕祛百邪鬼魅，除心下急满痛并脚气，热咳逆。〔日华子云〕安心定胆并癫邪啼泣，狂叫惊悸，杀蛊毒，气胁乳痈，发背，诸疮肿毒及产后血狂晕。〔孙真人云〕煮浓汁服，治阴毒伤寒。〔补〕〔日华子云〕益志，养五脏。

合治 合蜜蒸令软，时含枣大一块咽津，疗肺脏壅热，烦闷。

知母

无毒　丛生

知母出神农本经。主消渴，热中，除邪气，肢体浮肿，下水，补不足，益气。以上朱字神农本经。疗伤寒久疟，烦热，胁下邪气，膈中恶及风汗，内疸。多服令人泄。以上黑字名医所录。

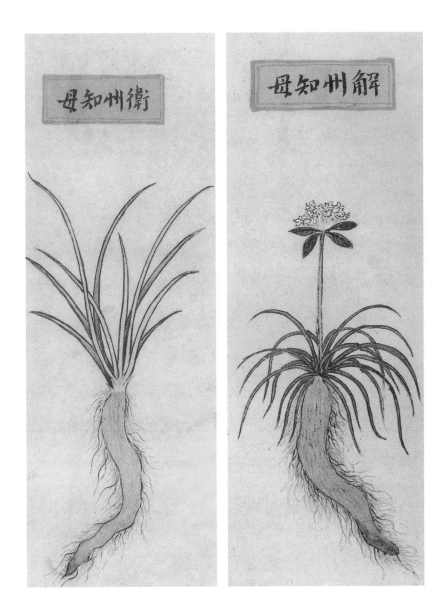

名 蚳^①母、连母、野蓼、地参、水参、儿踵草、水浚、货母、女雷、女理、蝭^②母、儿草、鹿列、韭逢、东根、水须、沈燔、昌支、藩^③。

---

① 蚳：原注"音岐"。
② 蝭：原注"音匙"。
③ 藩：原注"徒含切"。

苗〔图经曰〕春生苗，叶如韭，四月开青花，如韭花，八月结实。其根黄色，似菖蒲而柔润。叶至难死，掘出随生，须枯燥乃已。

地〔图经曰〕生河内川谷，今濒河诸郡、解州、滁州亦有之。〔陶隐居云〕出彭城。〔道地〕卫州、威胜军、隰州。

时〔生〕春生苗。〔采〕二月、八月取。

收 阴干。

用 根黄白、脂润者为好。

质 类菖蒲而柔润有毛。

色 淡黄。

味 苦。

性 寒，泄。

气 味厚于气，阴也。

臭 香。

主 泻肾火，补虚劳。

行 手太阴经，足阳明经、少阴经。

助 酒为之使。

制 〔雷公云〕去芦及皮，槐砧上细切，焙，木臼内杵。上行须用酒炒。

治 〔疗〕〔图经曰〕解溪毒。〔陶隐居云〕治热疟，热烦。〔药性论云〕除心烦燥闷，骨蒸劳热，产后蓐劳，肾气劳，憎寒，患人虚而口干。〔日华子云〕除传尸痃病，通小肠，消痰止嗽，润心肺，安心，止惊悸。〔别录云〕安胎下乳。〔补〕〔日华子云〕益虚乏。

忌 勿犯铁器。

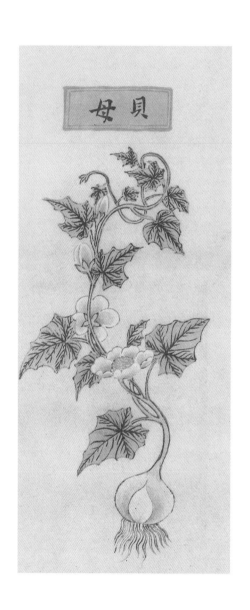

贝母

无毒　植生

贝母出神农本经。主伤寒烦热，淋沥，邪气，疝瘕，喉痹，乳难，金疮，风痉。以上朱字神农本经。疗腹中结实，心下满，洗洗恶风寒，目眩项直，咳嗽上气，止烦热渴，出汗，安五脏，利骨髓。以上黑字名医所录。

名 空草、药实、苦花、苦菜、商草、勤母、茵。

苗〔图经曰〕春生苗，茎细青色，叶亦青，似荞麦，叶随苗出。七月花开，碧绿色，形如鼓子花。其根圆而有瓣，黄白色，如聚贝子，故名贝母。陆机疏云：其叶如栝楼而细小，其子在根下如芋子，正白，四方连累，相著有分解。其中独颗而无两瓣，亦无皱者，号曰丹龙精，不入药用。〔唐本注云〕又一种叶如大蒜，蒜熟时采之良。《旧本》云：十月采，恐苗枯，根亦不佳也。

地〔图经曰〕生晋地及河中、江陵府，郢、寿、随、郑、蔡、润、滁州皆有之。〔唐本注云〕荆襄产者佳，江南诸州亦有。〔道地〕峡州、越州。

时〔生〕二月生苗。〔采〕四月、八月取根。

收 暴干。

用 根圆白不僵者佳。

越州贝母

质 类半夏而有瓣。

色 黄白。

味 辛、苦。

性 微寒。

气 味厚于气，阴中之阳。

臭 朽。

主 化痰解郁。

助 厚朴、白薇为之使。

反 乌头，畏秦艽、礜石、莽草，恶桃花。

制 〔雷公云〕凡使，先于柳木灰火中炮黄，劈破，去内口鼻上有米许大者心一小颗，后拌糯米，于鏊上同炒，待米黄熟，然后去米。生亦可用。

治 〔疗〕〔图经曰〕除恶疮，并人面疮。〔药性论云〕退虚热，催难产，为末点眼，去肤翳，消胸胁逆气并时疾，黄疸。〔日华子云〕消痰润肺。〔衍义曰〕散心胸郁结之气。〔补〕〔陶隐居云〕断谷，服之不饥。

合治 合酒调服，疗胞衣不出。○合连翘，疗项下瘤瘿疾。○合沙糖为丸，含化，止嗽。

峡州贝母

○合油，傅人畜恶疮。

　　禁　误服丹龙精，令人筋脉不收。

　　解　若误服丹龙精者，用黄精、小蓝汁解之，立愈。

　　赝　丹龙精为伪。

○ 草之草

白芷

无毒　植生

白芷出神农本经。主女人漏下，赤白，血闭，阴肿，寒热风头侵，目泪出，长肌肤，润泽，可作面脂。以上朱字神农本经。疗风邪久渴，吐呕，两胁满，风痛，头眩，目痒。可作膏药面脂，润颜色。以上黑字名医所录。

名 芳香、白茝①、蒚②莞、苻蓠、泽芬。〔叶〕蒚③麻、药。

苗 〔图经曰〕根长尺余，白色，粗细不等。枝干去地五六寸，春生叶，相对婆娑，紫色，阔三指许，花白微黄。入伏后结子，立秋后苗枯，楚人谓之药。《九歌》云：辛夷楣兮药房。王逸注云：药，白芷也。

地 〔图经曰〕出河东川谷、下泽及齐郡，今所在有之。〔陶隐居云〕生下湿地，今近道处处有之。〔道地〕泽州、吴地尤胜。

时 〔生〕春生叶。〔采〕二月、八月取根。

收 暴干。

用 根大而不蛀者佳。

质 类栝楼根而细。

色 白。

味 辛。

性 温。

气 气味俱轻，阳也。

臭 香。

主 头风侵目，排脓生肌。

行 手阳明经，足阳明经。

助 当归为之使。

反 恶旋覆花。

---

① 茝：原注"音采"。
② 蒚：原注"音嚣"。
③ 蒚：原注"音历"。

制 〔雷公云〕采得后，刮削上皮，细剉，用黄精亦细剉。以竹刀切二味，等分，两度蒸一伏时后出，于日中晒干。去黄精用，或生用。

治 〔疗〕〔陶隐居云〕作汤浴以去尸虫。〔药性论云〕止心腹血刺痛及呕逆，明目，止泪出，女人血崩，沥血，腰痛，能蚀脓。〔日华子云〕退目赤，胬肉，止胎漏滑落，破宿血，消乳痈，发背，瘰疬，肠风，痔瘘，排脓疮痍疥癣，止痛生肌，去面皯疵瘢。〔补〕〔日华子云〕生新血。

赝 丧公藤为伪。

○ 草之草

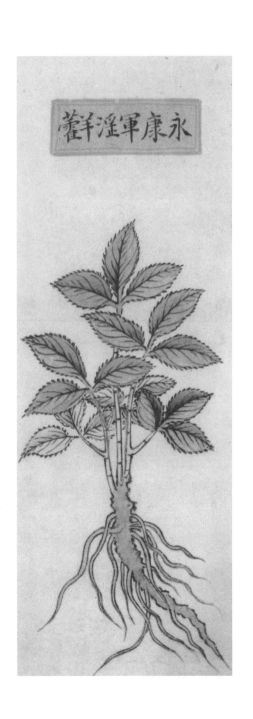

淫羊藿

无毒　植生

淫羊藿出神农本经。主
阴痿绝伤，茎中痛，
利小便,益气力,强志。
以上朱字神农本经。坚筋
骨，消瘰疬，赤痈，
下部有疮洗，出虫，
丈夫。久服令人无子。
以上黑字名医所录。

名 仙灵脾、黄连祖、千两金、刚前、干鸡筋、放杖草、弃杖草。

苗〔图经曰〕叶青似杏叶，上有刺，茎如粟秆，根紫色有须。四月开白花，亦有紫色，碎小独头子。湖湘出者，苗高一二尺许，叶如小豆而圆薄，枝茎紧细，经冬不凋，根似黄连，关中俗呼三枝九叶草是也。其根、叶俱堪用。

地〔图经曰〕生上郡阳山山谷及江东，陕西、泰山、汉中、湖湘间皆有之。

时〔生〕春生苗。〔采〕五月取叶，以不闻水声处者良。

收 晒干。

用 叶、根。

质 茎如粟秆，叶似杏叶。

色 青。

味 辛。

性 寒。

气 气之薄者，阳中之阴。

臭 朽。

沂州淫羊藿

主 坚筋益骨。

助 山药、紫芝为之使。

制 〔雷公云〕须用夹刀去叶四畔花枝尽后，细剉。每修事一斤，用羊脂四两，相对拌炒过，待羊脂尽为度。

治 〔疗〕〔日华子云〕治一切冷风劳气，筋骨挛急，四肢不仁，老人昏耄及健忘。〔补〕〔日华子云〕补腰膝，强心力，丈夫绝阳不起，女人绝阴无子。

合治 合酒浸服，疗偏风，手足不遂，皮肤不仁。〇合威灵仙，食后米汤调服，疗疮子入眼。

黄芩

无毒　<u>丛生</u>

黄芩出神农本经。主诸热黄疸，肠澼，泻痢，逐水，下血闭，恶疮疽，蚀火疡。以上朱字神农本经。疗痰热，胃中热，小腹绞痛，消谷，利小肠，女子血闭，淋露，下血，小儿腹痛。○子，主肠澼，脓血。以上黑字名医所录。

名　腐肠、空肠、内虚、黄文、经芩、妒妇、印头、子芩、豚尾芩、宿芩。

苗　〔图经曰〕苗长尺余，茎干粗如箸，叶从四面作丛生，类紫草。亦有独茎者，叶细长，青色，两两相对。六月开紫花，根黄如知母粗细，长四五寸。又《吴普本草》云：二月生，赤黄叶，两两四四相值，其茎空中或方圆，高三四尺，花紫红赤，五月实黑，根黄有中枯而飘者，名腐肠。有细实圆者，名子芩也。

地　〔图经曰〕生秭归山谷及冤句，今川蜀、河东、陕西近郡皆有之。〔陶隐居云〕出彭城、郁州。〔道地〕宜州、鄜州、泾州、兖州。

时　〔生〕春生苗。〔采〕二月、三月三日、八月、九月取根。

收　阴干。

用　根。

潞州黄芩

色 黄。

味 苦。

性 平、大寒，泄。

气 气薄味厚，阴中微阳。

臭 香。

主 诸热。

行 手太阴经、阳明经。

助 山茱萸、龙骨为之使。

反 畏丹砂、牡丹、藜芦，恶葱实。

制 去粗皮及腐烂者，剉用或酒炒。

治 〔疗〕〔药性论云〕消热毒，骨蒸，寒热往来，肠胃不利，破壅气，除五淋，令人宣畅，去关节烦闷，解热渴，治热，腹中疞痛，心腹坚胀。〔日华子云〕下气，主天行热疾，疗疮，乳痈，发背，排脓。〔东垣云〕中枯而飘者，泻肺火，消痰利气，除风湿留热于肌表；细实而坚者，泻大肠火，养阴退阳，滋化源，退热于膀胱。

合治 合白术，安胎。○合厚朴、黄连，止腹痛。○合五味子、牡蒙、牡蛎，令人有子。○合黄芪、白蔹、赤小豆，疗鼠瘘。

○ **草之草**

狗脊

无毒　植生

狗脊_{出神农本经}。主腰背强，关机缓急，周痹，寒湿膝痛，颇利老人。

以上朱字神农本经。疗失溺不节，男子脚弱，腰痛风邪，淋露，少气，目暗，坚脊，利俯仰，女子伤中，关节重。

以上黑字名医所录。

名　百枝、强膂、扶盖、扶筋、狗青、赤节。

苗〔图经曰〕苗尖细碎，青色，高尺余，无花，其茎叶似贯众，根长尺许而多歧，肉作青绿色，亦有黑色，形似狗脊骨，故以名之。今方亦以金毛者为胜。〔陶隐居云〕一种与菝葜相似而小异，其茎叶小肥，其节疏，其茎大直上有刺。叶圆有赤脉，根凹凸茏苁，如羊角而细强者。〔唐本注云〕今江左俗犹用者是，陶所说乃是有刺草薢耳，非狗脊也。

地〔图经曰〕生常山川谷及太行山。〔道地〕成德军、眉州、温州、淄州。

时〔生〕春生苗。〔采〕二月、八月取根。

收 暴干。

用 根有金毛者为佳。

质 如犬脊而有毛。

色 黄、黑。

味 苦、甘。

性 平、微温，缓。

气 气厚味薄，阳中之阴。

臭 朽。

主 除湿定痛。

助 萆薢为之使。

反 恶败酱。

制〔雷公云〕凡修事，细剉，酒拌蒸，从巳至申方出，干用。

治〔疗〕〔药性论云〕治男女毒风，软脚湿痹，肾气虚弱。〔补〕〔药性论云〕益男子，续筋骨。

赝 透山藤味苦入顶为伪。

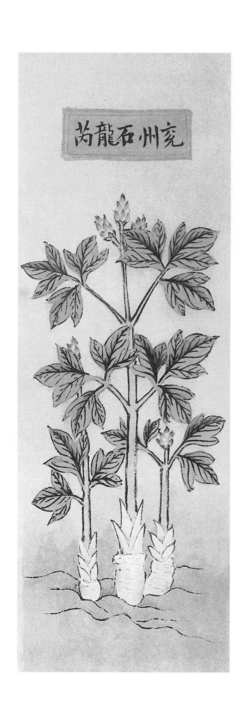

石龙芮

无毒　丛生

石龙芮 出神农本经。主风寒湿痹，心腹邪气，利关节，止烦满。久服轻身，明目，不老。 以上朱字神农本经。平肾胃气，补阴气不足，失精茎冷。令人皮肤光泽，有子。 以上黑字名医所录。

名 地椹、石能、彭根、天豆、水堇、天灸、鲁果能。

苗 〔图经曰〕一丛数茎，茎青紫色，每茎三叶，其叶芮芮短小，多刻缺，子如葶苈而色黄。〔唐本注云〕今用者俗名水堇，苗似附子，叶似桑椹，故名地椹。生下湿地，五月熟时，叶、子皆味辛。山南者，粒大如葵子；关中、河北者，细如葶苈，气力劣于山南者。〔衍义曰〕石龙芮今有两种，水中生者，叶光而末圆；陆生者，叶有毛而末锐。入药须用水生者。陆生者，又谓之天灸。取少叶揉系臂上一夜，作大泡如火烧者，是真也。

地 〔图经曰〕出泰山川泽、石边。〔唐本注云〕生关中、河北。〔陶隐居云〕近道处处有之。〔道地〕兖州。

时 〔生〕春生苗。〔采〕五月五日取子，二月八日取皮。

收 阴干。

用 子及皮。

质 子类葶苈而黄。

色 黄。

味 苦。

性 平，泄。

气 气之薄者，阳中之阴。

臭 朽。

主 除痹舒筋。

助 大戟为之使。

反 畏蛇蜕皮、吴茱萸。

治 〔疗〕〔图经曰〕能逐诸风，除心热燥。〔补〕〔衍义曰〕陆生者补阴不足，茎常冷，失精。

赝 蓄菜子为伪。

○ 草之飞

茅根

无毒　附苗、花、根、针[①]、屋茅　丛生

茅根出神农本经。主劳伤虚羸，补中益气，除瘀血，血闭寒热，利小便。○苗，主下水。以上朱字神农本经。下五淋，除客热在肠胃，止渴，坚筋，妇人崩中。久服利人。

以上黑字名医所录。

---

① 针：原脱，据目录补。

名　兰根、茹根、地菅、地筋、兼杜。

苗　〔图经曰〕春生苗，布地如针，俗谓之茅针，可啖，甚益小儿，夏生白花茸茸然，至秋而枯，其根至洁白，味亦甘美。陆机《草木疏》云：菅，似茅而滑，无毛，根下五寸中有白粉者，柔韧，宜为索，沤之尤善；其未沤者，名野菅，《诗》所谓白茅菅兮是也。入药功用与茅等，其屋苫茅用之，须经久者良。

地　〔图经曰〕生楚地山谷、田野，今处处有之。〔道地〕澶州、鼎州。

时　〔生〕春生苗。〔采〕四月取花，六月取根。

收　日干。

用　根、花、苗、针。

质　根类茅香根而粗。

色　白。

味　甘。〔茅针〕甘。〔花〕甘。

性　寒，缓。〔茅针〕平、凉。〔花〕温。

鼎州茅根

气 气之薄者，阳中之阴。

臭 香。

主 除瘀血，下五淋。

制 刷去沙土，剉碎用。

治 〔疗〕〔日华子云〕疗妇人月经不匀，通血脉，淋沥。○茅针，通小肠。○花，罯刀箭疮，止血并痛。○屋四角茅，止鼻洪。〔唐本注云〕菅花，止衄血，吐血，灸疮。〔药性论云〕白茅，破血并止消渴。〔陈藏器云〕茅针，消恶疮肿未溃者，煮服之，服一针一孔，二针二孔。生授，傅金疮止血。煮服之，主鼻衄及暴下血。

合治 合脂膏，疗诸竹木刺在肉中不出，及因风致肿。○屋茅，合酒煮，疗卒吐血。○屋上烂茅，和酱汁研，傅斑疮、蚕啮疮。○茅针，合酒煎服，疗痈毒，软疖不作头。

禁 妊娠不可服。

解 茅屋滴溜水，杀云母毒。

○ 草之草

紫菀

无毒　植生

紫菀出神农本经。主咳逆上气，胸中寒热，结气，去蛊毒，痿蹶，安五脏。以上朱字神农本经。疗咳唾，脓血，止喘悸，五劳，体虚，补不足，小儿惊痫。以上黑字名医所录。

名 紫蒨、青菀、液牵牛。

苗 〔图经曰〕三月布地生苗叶，其叶三四相连，五月、六月开黄紫白花，结黑子，本有白毛，根甚柔细。

地 〔图经曰〕生房陵山谷及真定、邯郸，今耀、成、泗、寿、台、孟州，兴国军皆有之。

时 〔生〕春生苗。〔采〕二月、三月取根。

收 阴干。

用 根润软者为佳。

质 类重台根，作节而有茸。

色 紫。

味 苦、辛。

性 温，散。

气 气厚味薄，阳中之阴。

臭 香。

主 气喘，咳嗽。

助 款冬花为之使。

反 畏茵陈蒿，恶天雄、瞿麦、雷丸、远志。

制 〔雷公云〕凡使，去头土，用东流水洗净，以蜜浸一宿，至明，于火上焙干用。

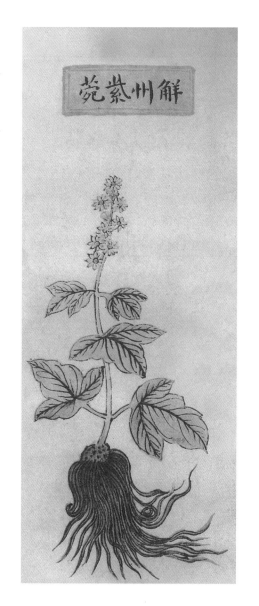

菀紫州解

治〔疗〕〔药性论云〕除
尸疰，及胸胁逆气，百邪鬼魅。
〔日华子云〕调中，及肺痿吐
血，消痰止渴，劳气虚热。〔补〕
〔药性论云〕补虚。〔日华子
云〕润肌肤，添骨髓。〔衍义曰〕
益肺气。

合治　合款冬花、百部为散，
生姜、乌梅煎服，疗久嗽不瘥。

○ 草之草

紫草

无毒　植生

紫草出神农本经。主心腹邪气，五疸，补中益气，利九窍，通水道。以上朱字神农本经。疗腹肿，胀满痛。以合膏，疗小儿疮及面齄[1]。以上黑字名医所录。

---

[1]　齄：原注"音查"。

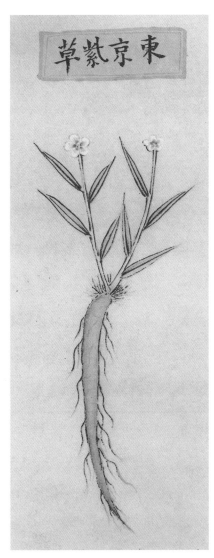

名 紫丹、紫芙^①、茈、茈蔃。

苗 〔图经曰〕苗似兰香，茎赤节青。二月有花，紫白色。秋结实，亦白。人家园圃或种莳，其根所以染紫也。

地 〔图经曰〕生砀山山谷及楚地，今处处有之。〔陶隐居云〕襄阳、南阳。〔道地〕单州、东京为胜。

———————————
① 芙: 原注"哀老切"。

时 〔生〕春生苗。〔采〕三月取根。

收 阴干。

用 根色赤者为好。

质 茎类威灵仙而粗壮。

色 紫。

味 苦。

性 寒。

气 味厚于气，阴也。

臭 香。

主 透斑疮，利水道。

制 〔雷公云〕凡使，须用蜡水蒸之，待水干，取去头并两畔髭，细剉用。每修事紫草一斤，用蜡二两，于铛中镕，镕尽，便投蜡水作汤用。

治 〔疗〕〔图经曰〕治伤寒时疾，发疮疹不出，并豌豆疮。〔药性论云〕疗恶疮，瘑癣。〔别录云〕治小便淋沥痛，水调末服。亦治婴儿童子患疹痘①疾。

_____

① 痘：原作"豆"，据清本改。

○ 草之草

前胡

无毒　植生

前胡主疗痰满，胸胁中痞，心腹结气，风头痛，去痰实，下气，治伤寒寒热，推陈致新，明目益精。名医所录。

苗〔图经曰〕苗青白色，似斜蒿，初出时有白芽，长三四寸，味甚香美。又似芸蒿，七月开白花，与葱花相类，八月结实，根细青紫色。今鄜延将来者大，与柴胡相似，但柴胡赤色而脆，前胡黄而柔软不同耳。今诸方所用前胡皆不同。京师北地者，色黄白，枯脆，绝无气味。江东乃有三四种，一种类当归，皮斑黑，

肌黄而脂润，气味浓烈；一种色理黄白，似人参而细短，香味都微；
又有如草乌头，肤黑而坚，有两三歧为一本者，食之亦戟人咽喉。
然此皆非前胡也。

　地　〔图经曰〕出陕西、梁汉、江淮、荆襄州郡，及相州、孟
州皆有之。〔道地〕吴中、寿、春及越、衢、婺、陆等处皆好。

时 〔生〕春生苗。〔采〕二月、八月取根。

收 暴干。

用 根润实者为好。

质 类北柴胡而柔软。

色 黄褐。

味 苦。

性 微寒，泄。

气 气味俱薄，阴中之阳。

臭 香。

主 止痰嗽，去寒热。

助 半夏为之使。

反 畏藜芦，恶皂荚。

制 〔雷公云〕凡修事，用刀刮去苍黑皮并髭土，了，细剉。用甜竹沥浸令润，于日中晒干用之。

治 〔疗〕〔图经曰〕下气化痰。〔药性论云〕去热实，下气并时气，内外俱热。〔日华子云〕去一切劳，下一切气，止嗽，破癥结，开胃下食，通五脏及霍乱转筋，骨节烦闷，反胃呕逆，气喘，安胎，小儿一切疳气。

禁 野蒿根为伪，误服之，令人反胃。

○ **草之草**

败酱

无毒　丛生

败酱出神农本经。主暴热火疮，赤气，疥瘙，疽痔，马鞍热气。以上朱字神农本经。除痈肿，浮肿，结气，风痹不足，产后疾痛。以上黑字名医所录。

名 鹿肠、鹿首、马草、泽败、鹿酱、酸益。

苗〔图经曰〕叶似水葭及薇衔，花黄，根紫色，丛生。嗅如陈败豆酱之气，故以为名耳。〔陶隐居云〕叶似豨莶，根似柴胡。

地〔图经曰〕生江夏川谷，今江东亦有之。〔道地〕江宁府。

时〔生〕春生苗。〔采〕七月、八月、十月取根。

收 暴干。

用 根。

质 根类柴胡。

色 紫。

味 苦、咸。

性 平、微寒，泄。

气 味厚于气，阴中微阳。

臭 臭。

主 痈肿，风痹。

行 手厥阴经，足少阴经。

制〔雷公云〕凡使，收得后便粗杵，入甘草叶相拌对蒸，从巳至未，出，焙干，去甘草叶，取用。

治〔疗〕〔药性论云〕除毒风痛痹，破多年凝血，能化脓为水，及产后诸病，止腹痛，除疹，烦渴。〔日华子云〕疗赤眼障膜，胬肉，聤耳，血气，心腹痛，破癥结，产前后诸疾，催生落胞，血晕，排脓，补瘘，鼻洪，吐血，赤白带下，疮痍疥癣，丹毒。〔别录云〕蠼螋尿绕腰者，煎汁涂之，瘥。

合治 合薏苡仁、附子，治腹痛、腹有脓者。

○ 草之草

白鲜

无毒　植生

白鲜出神农本经。主头
风，黄疸，咳逆，淋
沥，女子阴中肿痛，
湿痹死肌，不可屈伸，
起止行步。以上朱字神农
本经。疗四肢不安，时
行腹中，大热饮水，
欲走大呼，小儿惊痫，
妇人产后余痛。以上黑
字名医所录。

名 白羊鲜、白膻、金雀儿椒、地羊膻。

苗 〔图经曰〕苗高尺余，茎青。叶梢白，如槐，亦似茱萸。夏开花，淡紫色，似小蜀葵。根似蔓菁，皮黄白而心实，其气膻似羊，故名地羊膻也。

地 〔图经曰〕生上谷川谷及冤句，今河中、润州皆有。〔道地〕江宁府、滁州、蜀中。

时 〔生〕春生苗。〔采〕四月、五月取根。又云：宜二月取，差晚则虚恶。

收 阴干。

用 根上皮。

质 类牡丹皮而白。

色 白。

味 苦、咸。

性 寒，泄。

气 味厚于气，阴也。

臭 膻。

主 湿痹，风疮。

反 恶螵蛸、桔梗、茯苓、萆薢。

滁州白鲜

治〔疗〕〔图经曰〕鼠瘘已有口，脓血出者，煮汁服一升，当吐鼠子，愈。〔药性论云〕去一切热毒，恶风，风疮疥癣，赤烂眉，发脱，脆皮，肌急，壮热，恶寒，解热黄、酒黄、谷黄、劳黄。〔日华子云〕通关节，利九窍及血脉，并一切风痹，筋骨弱乏，通小肠水气，天行时疾，头痛，眼疼。

○ 草之草

酸浆

无毒　附根、子　植生

酸浆主热烦满，定志，
益气，利水道。产难，
吞其实，立产。神农本经。

名 醋浆、苦葴 [①]、葴寒浆。

苗 〔图经曰〕苗似水茄而小，叶亦可食，实作房如囊，囊中有子如梅李大，皆赤黄色。根似葅芹，色白绝苦。《尔雅》所谓葴寒浆。郭璞注云：今酸浆草，江东人呼为苦葴是也。〔衍义曰〕苗如天茄子，开小白花，结青壳，熟则深红，壳中子大如樱，亦红色，樱中腹有细子，如落苏子，食之有青草气，此即苦耽也。又一种三叶酸浆草，生人家园林亭槛中，著地开黄花，味酸，亦入药用。

地 〔图经曰〕生荆楚川泽及人家田园中，今处处有之。

时 〔生〕春生苗。〔采〕五月五日取根。

收 阴干。

用 叶、根、实。

色 茎青，根白。

味 酸、苦。

性 平，寒。

气 味厚于气，阴也。

臭 腥。

主 除热，催生，泄水。

制 捣汁用。

治 〔疗〕〔陶隐居云〕实，小儿食之能除热，亦主黄病。〔别录云〕根，捣汁，治黄病。

合治 三叶酸浆草，阴干为末，空心合酒下三钱匕，治妇人赤白带下。○三叶酸浆草，净洗，研绞自然汁，合酒各一合，令温暖，空心服之，治卒患诸淋，遗沥不止，小便赤涩疼痛。

---

① 葴：原注"音针"。

○ 草之草

郁金香

无毒　<u>丛生</u>

郁金香主虫野诸毒，
心气，鬼疰，鸦鹘等
臭。名医所录。

苗〔图经曰〕陈氏云：其香十二叶，为百草之英。按《魏略》云：二月、三月有花，状如红蓝。〔陈藏器云〕郁金香，平，入诸香药用之。《说文》：郁金，芳草也。十二叶为贯，将以煮之用为莹，为百草之英，合而酿酒以降神也。

地〔图经曰〕生秦国。

时〔生〕春生苗。〔采〕四月、五月取茎、叶。

收 暴干。

用 花、茎、叶。

质 花类红蓝。

色 黄。

味 苦。

性 温，泄。

气 气厚于味，阳中之阴。

臭 香。

主 除一切臭。

治〔疗〕〔陈藏器云〕除心腹间恶气，鬼疰。

一十二种陈藏器余

兜纳香味甘，温，无毒。去恶气，温中，除暴冷。《广志》云：生剽国。《魏略》曰：大秦国出兜纳香。《海药》云谨按《广志》云：生西海诸山，味辛，平，无毒。主恶疮肿瘘，止痛生肌，并入膏用。烧之能辟远近恶气。带之夜行，壮胆安神。与茆香、柳枝合为汤，浴小儿则易长。

风延母味苦，寒，无毒。小儿发热，发强，惊痫，寒热，热淋，解烦，利小便，明目，主蛇犬毒，恶疮，痈肿，黄疸，并煮服之。细叶，蔓生，缨绕草木。《南都赋》云：风衍蔓延于衡皋是也。《海药》云谨按《徐表南州记》：生南海山野中，主三消五淋，下痰，小儿赤白毒痢，蛇毒、瘴溪等毒，一切疮肿，并煎服。只出南中，诸无所出也。

耕香味辛，温，无毒。主臭鬼气，调中。生乌浒国。《南方草木状》曰：耕香，茎生细叶。

大瓠藤水味甘，寒，无毒。主烦热，止渴，润五脏，利小便。藤如瓠，断之水出。生安南。《太康地记》曰：朱崖、儋耳无水处种，用此藤取汁用之。《海药》云谨按《太原记》：生安南、朱崖上。彼无水，惟大瓠中有天生水，味甘冷，香美，主解大热，止烦渴，润五脏，利水道。彼人造饮馔，皆瓠也。

筋子根味苦，温，无毒。主心腹痛，不问冷热远近，恶鬼，气注刺痛，霍乱，蛊毒，暴下血，腹冷不调，酒饮磨服。生四明山。苗高尺余，叶圆厚光润，冬不凋，根大如指，亦名根子。

土芋味甘，寒，小毒。解诸药毒。生研水服，当吐出恶物尽，便止。煮食之，甘美不饥，厚人肠胃，去热嗽。蔓如豆，根圆如卵。鸱鸺食后弥吐，人不可食。

优殿味辛，温。去恶气，温中消食。生安南。人种为茹。《南方草木状》曰：合浦有优殿，人种之。以豆酱汁食，芳香好味。

土落草味甘，温，无毒。主腹冷疼气，痃癖，作煎酒，亦捣绞汁温服。叶细长。生岭南山谷，土人服之。

猎[①]**菜**味辛，温，无毒。主冷气，腹内久寒，食饮不消，令人能食。《字林》曰：猎，辛菜，南人食之，去冷气。

必似勒味辛，温，无毒。主冷气，胃闭不消食，心腹胀满。生昆仑，似马蔺子。

胡面莽味甘，温。去痃癖及冷气，止腹痛，煮之。生岭南。叶如地黄。

海蕴味咸，寒，无毒。主瘿瘤结气在喉间，下水。生大海中。细叶如马尾，似海藻而短也。

本草品汇精要卷之十

---

① 猎：原注"猪孝切"。

本草品汇精要

·卷之十一·

草 部
中品之中

一十三种	**神农本经** 朱字
九种	**名医别录** 黑字
六种	**唐本先附** 注云唐附
六种	**宋本先附** 注云宋附
一种	**今分条**
一十种	**陈藏器余**

已上总四十五种，内五种今增图

紫参　　　　　　藁本实附　　　　　石韦石皮、瓦韦附

萆薢　　　　　　杜蘅　　　　　　　白薇

菝①葜②叶附　　　大青　　　　　　　女菱唐附

石香菜宋附　　　艾叶实附　　　　　鼠黏子叶附，旧名恶实

水萍　　　　　　王瓜　　　　　　　地榆

大蓟　　　　　　小蓟原附大蓟下，今分条并增图

海藻石帆、水松、马藻附　泽兰　　　　　　昆布紫菜附，今增图

防己③木防己④附　天麻宋附　　　　　高良姜

百部根　　　　　茴香子唐附，旧名蘹香子　款冬花

红蓝花红花也，宋附　京三棱宋附，鸡爪三棱、石三棱附

姜黄唐附，迷药附　荜拨宋附，根附　　蒟⑤酱唐附

萝藦子唐附，今增图　郁金唐附　　　　马先蒿今增图

延胡索宋附，今增图

一十种陈藏器余

百丈青　　　　　斫合子　　　　　　独自草

金钗股　　　　　博落回　　　　　　毛建草及子⑥

数低　　　　　　仰盆　　　　　　　离鬲草

盧药

---

① 菝：原注"蒲八切"。
② 葜：原注"弃八切"。
③ 己：原作"巳"，据正文药名改。
④ 己：原作"巳"，据正文药名改。
⑤ 蒟：原注"音矩"。
⑥ 及子：原无，据正文药名补。

本草品汇精要卷之十一
草部中品之中

○ 草之草

紫参

无毒　植生

紫参出神农本经。主心腹积聚，寒热邪气，通九窍，利大小便。以上朱字神农本经。**疗肠胃大热，唾血，衄血，肠中聚血，痈肿，诸疮，止渴，益精。**以上黑字名医所录。

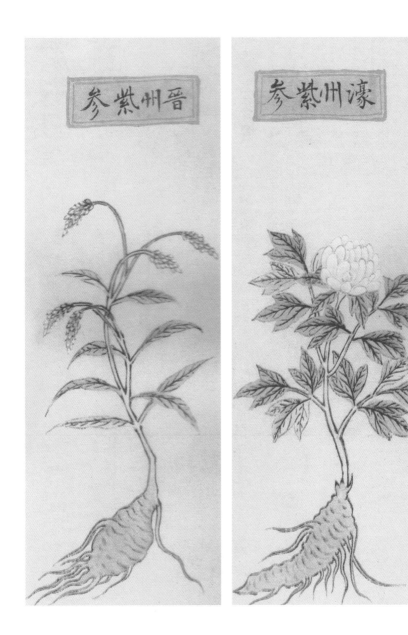

名 牡蒙、众戎、童肠、马行。

苗〔图经曰〕苗长一二尺，茎青而细，叶亦青似槐叶，亦有似羊蹄者。五月开花，白色似葱花，亦有红紫色似水荭者。根皮紫黑，肉红白色，如地黄状。〔别录云〕一种团聚而生，根黄赤有纹，皮黑中紫，五月花紫赤，其实黑大如豆。

地〔图经曰〕生河西及冤句山谷，今河中、解、齐、淮、蜀州郡皆有之。〔道地〕滁州、濠州、眉州、蒲州、晋州。

时〔生〕春初生苗。〔采〕三月、六月取实。

收 晒干。

用 根脂润者为好。

质 类人参而团聚。

色 紫。

味 苦、辛。

性 寒、微寒。

气 气之薄者，阴中之阳。

臭 香。

主 心腹坚胀。

反 畏辛夷。

制 火炙令紫。

治〔疗〕〔药性论云〕散瘀血，去心腹坚胀，妇人血闭不通。

合治 以半斤，用水五升煎二升，内甘草二两，煎取半升，分三服，疗痢。

眉州紫参

....○ 草之草

藁本

无毒　植生

藁本_{出神农本经}。主妇人疝瘕,阴中寒,肿痛,腹中急,除风头痛,长肌肤,悦颜色。以上朱字神农本经。辟雾露,润泽,疗风邪,弹曳金疮,可作沐药、面脂。○实,主风流四肢。以上黑字名医所录。

名　鬼卿、地新、微茎。

苗　〔图经曰〕叶似白芷，香如芎䓖，但芎䓖似水芹而大，藁本叶细耳。五月有白花，七八月结子。根上苗下似禾藁，故以为名也。〔陶隐居云〕俗中皆用芎䓖，其根须形气乃相类。《桐君药录》言：芎䓖苗似藁本，论说花、实皆不同，所生处又异。今东山别有藁本，形气甚相似，惟长大尔。

地　〔图经曰〕生崇山山谷，西川、河东州郡，兖州、杭州。〔唐本注云〕出宕州者为胜。〔道地〕并州、威胜军、宁化军。

时 〔生〕春生苗。〔采〕正月、二月取根。

收 暴干三十日。

用 根粗大者为好。

色 黑。

味 辛、苦。

性 温，散。

气 气厚味薄，阳也。〔丹溪云〕阳中微阴。

臭 香。

主 风邪头疼。

行 足太阳经。

反 畏青葙子，恶蔄茹。

制 去芦，水浸润，剉用。

治 〔疗〕〔药性论云〕治一百六十种恶风，鬼疰流入腰痛冷，能化小便，通血，去头风，奸疱。〔日华子云〕疗痫疾，并皮肤疵奸，酒齄，粉刺。〔汤液本草云〕太阳经风药，逐寒邪结郁于本经，治头痛，脑痛。大寒犯脑，令人脑痛，齿亦痛，并巅顶痛。

合治 合木香，疗雾露之气。○合白芷，作面脂药。

○ 草之草

石韦

无毒　附石皮[①]、瓦韦
<u>丛生</u>

石韦<small>出神农本经。</small>主劳热邪气，五癃闭不通，利小便水道。<small>以上朱字神农本经。</small>止烦下气，通膀胱满，补五劳，安五脏，去恶风，益精气。<small>以上黑字名医所录。</small>

---

① 石皮：原无，据目录补。

名 石䩾①、石皮。

苗 〔图经曰〕丛生石上，叶如柳叶，背有毛而斑点如皮，故名石韦。〔唐本注云〕生石傍阴处，不蔓延。福建一种三月有花，采叶煎汤浴之，主风。有生于古瓦屋上者，谓之瓦韦。

地 〔图经曰〕生华阴山谷，及晋、绛、滁、福州，江宁府皆有之。〔陶隐居云〕建平，今处处有之，生山谷石上。〔道地〕海州。

时 〔生〕春生苗。〔采〕二月取叶，以不闻水及人声者，良。

收 阴干。

用 叶。

质 类柳叶而长大。

色 绿。

味 苦、甘。

性 平，泄。

气 味厚于气，阴中之阳。

臭 朽。

主 补劳，利水。

助 络石、杏仁为之使，得菖蒲良。

制 去黄毛，微炙。

治 〔疗〕〔药性论云〕除劳及主五淋，胞囊结热不通，膀胱热满。〔日华子云〕治淋沥，遗溺。

合治 炒末合酒调服，疗发背。

禁 误用叶上黄毛，射人肺，令人咳，不可疗。

---

① 䩾：原注"之夜切"。

○ 草之草

萆薢

无毒　蔓生

萆薢 出神农本经。主腰
背痛，强骨节，风寒
湿周痹，恶疮不瘳，
热气。以上朱字神农本经。
伤中，恚怒，阴痿，
失溺，关节老血，老
人五缓。以上黑字名医
所录。

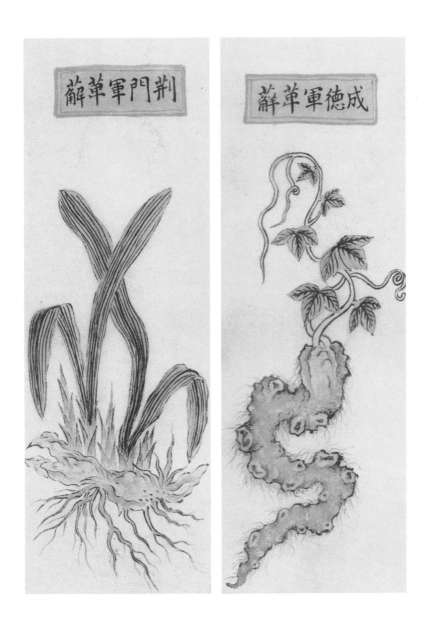

名 赤节、白菝葜。

苗 〔图经曰〕根黄白色，多节，大三指许，苗叶俱青，作蔓生。叶作三叉，似山芋，又似绿豆叶，花有黄、红、白数种，亦有无花结白子者。旧说此药有二种，茎有刺者，根白实；无刺者，根虚软，以软者为胜。今成德军所产者，根亦如山芋，体硬，其苗引蔓，叶似荞麦，子有三棱。
〔陶隐居云〕亦似菝葜而小异，
根大不甚有角节，其色小浅耳。

地〔图经曰〕出真定山谷，
今河陕及荆蜀诸郡。〔陶隐居云〕
今处处有之。〔道地〕兴元府、
邛州、荆门军、成德军。

时〔生〕春生苗。〔采〕
二月、八月取根。

收 暴干。

用 根。

质 类菝葜而有须。

色 黄白。

味 苦、甘。

性 平，缓。

气 味厚于气，阴中之阳。

臭 香。

主 诸痹，强筋骨。

助 薏苡为之使。

反 畏葵根、大黄、柴胡、
牡蛎、前胡。

制 细剉用。

治〔疗〕〔药性论云〕治
冷风痹痹，腰脚不遂，手足惊掣，
男子臂腰痛，久冷，是肾间有

薢萆州邛

膀胱宿水。〔日华子云〕治瘫痪，软风，头旋，痫疾，中风失音，效。〔补〕〔日华子云〕壮水脏，坚筋骨，益精，明目。

合治 合杜仲末，温酒调服，疗丈夫腰脚痹缓急，行履不稳。○合净贯众，等分为末，名如圣散，空心酒调服二钱，治肠风痔漏。

赝 菝葜为伪。

○ 草之草

杜蘅

无毒　散生

杜蘅主风寒咳逆，香
人衣体。名医所录。

名 马蹄香。

苗 〔图经曰〕苗叶都似细辛，惟香气小异，而根亦粗，黄白色。叶似马蹄，故名马蹄香。《山海经》云：天帝之山有草，状如葵，其臭如蘼芜，食之可以已瘿。郭璞注云：带之可以走马，或曰马得之而健走也。今人作浴汤及衣香甚佳。〔衍义曰〕杜蘅用根，似细辛，但根色白，叶如马蹄之下。市者往往乱细辛，须如此别之。《尔雅》以谓似葵而香是也。将杜蘅与细辛相对便见真伪，况细辛惟出华州者良，杜蘅其色黄白，拳局而脆，干则作团。

地 〔图经曰〕生江淮间，及水泽下湿地。今处处皆有之。

时 〔生〕春生苗。〔采〕三月三日取根。

收 暴干。

用 根。

质 类白薇，细小而拳促。

色 白。

味 辛。

性 温，散。

气 气之厚者，阳也。

臭 香。

主 气奔喘促，消痰饮。

制 去芦、梗、叶，并洗去土，剉用。

治 〔疗〕〔药性论云〕破留血，及项间瘤瘿。

赝 及已为伪。

白薇

无毒　植生

白薇出神农本经。主暴中风，身热肢满，忽忽不知人，狂惑，邪气，寒热酸疼，温疟洗洗，发作有时。以上朱字神农本经。**疗伤中，淋露，下水气，利阴气，益精。久服利人。**以上黑字名医所录。

名 白幕、薇草、春草、骨美。

苗 〔图经曰〕茎叶俱青，颇类柳叶，六七月开红花，八月结实，根黄白色，类牛膝而短小者是也。

地 〔图经曰〕生平原川谷，今陕西诸郡及舒、润、辽州亦有之。〔陶隐居云〕近道处处有之。〔道地〕滁州。

时 〔生〕春生苗。〔采〕三月三日取根。

收 阴干。

用 根。

质 类牛膝而短细。

色 黄白。

味 苦，咸。

性 平、大寒。

气 味厚于气，阴中之阳。

臭 香。

主 风狂，温疟。

反 恶黄芪、大黄、大戟、干姜、干漆、山茱萸、大枣。

制 〔雷公曰〕以糯米泔汁浸一宿，至明取出，去须了，于槐砧上细剉，蒸，从巳至申，出，用。

治 〔疗〕〔陶隐居云〕治惊邪，痓病。〔药性论云〕主百邪鬼魅。

○ 草之木

菝葜

无毒　植生

菝[1]葜[2]主腰背寒痛，风痹，益血气，止小便利。名医所录。

---

① 菝：原注"蒲八切"。
② 葜：原注"弃八切"。

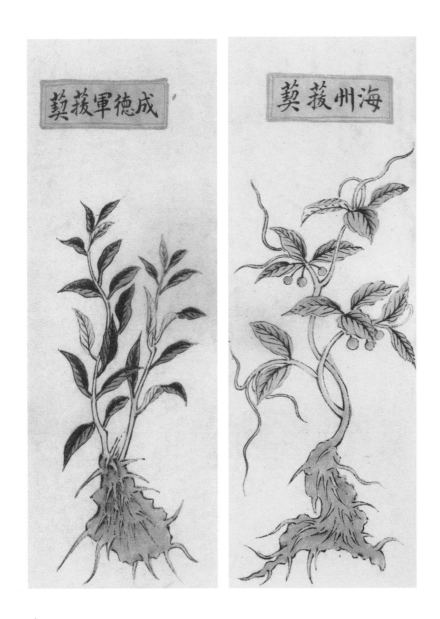

名 金刚根、王瓜草。

苗 〔图经曰〕苗茎成蔓，长二三尺，有刺。其叶如冬青、乌药叶，又似菱叶，差大。秋生黄花，结黑子，大如樱桃许。其根作块，赤黄色，江浙人呼为金刚根是也。

地 〔图经曰〕生山野，近京及江浙州郡多有之。〔道地〕成德军、海州、江州、江宁府。

时〔生〕春生苗。〔采〕二月、八月取根。

收 暴干。

用 根结块者为好。

质 类草薢。

色 黄褐。

味 甘。

性 温、平，缓。

气 气厚于味，阳中之阴。

臭 朽。

主 散肿毒，益血气。

治〔疗〕〔日华子云〕治时疾，瘟瘴。○叶，治风肿，止痛。

合治 叶合盐捣，傅扑损恶疮。○合米酿酒，疗风毒，脚弱，痹满，上气。

江宁府葜菝

大青

无毒　丛生

大青主疗时气头痛，大热，口疮。名医所录。

苗〔图经曰〕春生茎，长尺许，青紫色，苗叶似石竹，花红紫色，似马蓼，亦似芫花，而根黄色耳。

地〔图经曰〕生江东州郡及荆南，眉、蜀、濠、淄诸州皆有之。〔道地〕信州。

时〔生〕春生苗。〔采〕三月、四月取茎、叶。

收 阴干。

用 茎、叶。

质 类马蓼。

色 青紫。

味 苦。

性 大寒。

气 气薄味厚，阴也。

臭 腥。

主 时行热疾。

治〔疗〕〔陶隐居云〕治伤寒，时行热毒。〔药性论云〕去大热，并温疫寒热。〔日华子云〕疗热风，心烦闷，渴疾口干，小儿身热，疾风，天行热疾，兼涂署肿毒。

合治 入葛根汤服，疗伤寒头痛，身强，腰脊痛。

解 金石药毒。

○ 草之走

女萎

无毒　蔓生

女萎主风寒洒洒，霍乱，泄痢，肠鸣，游气上下无常，惊痫，寒热百病，出汗。《李氏本草》云：止下消食。

名医所录。

名 蔓楚。

苗 〔唐本注云〕蔓生，叶似白薇，花白子细，荆襄之间名为蔓楚是也。

地 〔唐本注云〕出荆襄之间。

时 〔生〕初春生苗。〔采〕二月取茎。

收 阴干。

用 苗。

色 青。

味 辛。

性 温，散。

气 气之厚者，阳也。

臭 香。

主 霍乱，惊痫。

制 〔雷公云〕凡使，去头并白蕊，槐砧上剉，拌豆淋酒蒸，从巳至未，出，晒令干用。

○ 草之草

石香菜

无毒　丛生

石香菜主调中，温胃，
止霍乱，吐泻，心腹
胀满，脐腹痛，肠鸣。
名医所录。

名 石苏。

苗 〔图经曰〕苗叶类萱草，根似石菖蒲，生山岩石缝中。〔衍义曰〕石香薷处处有之，不必山岩石缝中，但山中临水附崖处或有之，九月、十月尚有花。

地 〔图经曰〕生蜀郡，陵、荣、资、简州及南中，今处处有之。

时 〔生〕春生苗。〔采〕二月、八月取茎。

收 阴干。

用 茎、花、实。

色 青绿。

味 辛。

性 温，散。

气 气之厚者，阳也。

臭 香。

主 调中，温胃。

○ 草之草

艾叶

无毒　丛生

艾叶主灸百病；可作煎，止下痢，吐血，下部䘌疮，妇人漏血，利阴气，生肌肉，辟风寒，使人有子。名医所录。

名 冰台、医草。

苗 〔图经曰〕初春布地生苗，茎类蒿而叶背白，甚香。灸百病尤胜，用之以苗短者为佳。

地 〔图经曰〕生田野，今处处有之。〔道地〕蕲州、明州。

时 〔生〕春生苗。〔采〕三月三日、五月五日取叶。

收 暴干，作煎勿令见风。

用 叶、实。

质 类菊叶，而背白有毛。

色 青白。

味 苦。

性 微温，泄。

气 味厚于气，阴中之阳。

臭 香。

主 灸百病，止崩血。

制 去枝梗，揉如絮用。

治 〔疗〕〔图经曰〕生捣汁，止心腹恶气；熟用，塌金疮及中风掣痛，不仁不随。〔陶隐居云〕止伤血，并杀蛔虫。〔唐本注云〕主下血及脓血痢。〔药性论云〕止崩血，安胎，除腹痛。○实，主明目，并一切鬼气。〔日华子云〕叶，止霍乱转筋并心痛，鼻洪及带下。〔汤液本草云〕温胃。〔别录云〕治伤寒时气，温病头痛，壮热，脉盛，煮服。〔补〕〔图经曰〕补虚羸。〔日华子云〕实，壮阳，助水脏，强腰膝，暖子宫。

合治 合醋煎，疗癣及赤白痢下，并脏痔泻血。○实合干姜末，蜜丸如梧桐子大服，疗一切冷气，鬼邪毒气，最去恶气。

○ 草之草

鼠黏子

无毒　植生

鼠黏子主明目，补中，除风伤。○根、茎，疗伤寒寒热汗出，中风面肿，消渴，热中，逐水。久服轻身，耐老。名医所录。

名 牛蒡子、恶实。〔根〕蝙蝠刺、牛菜。

苗 〔图经曰〕叶如芋而长，实似葡萄核而褐色，外壳如栗梂，小而多刺，鼠过之则缀，惹之不可脱，故谓鼠黏子，亦如羊负来之义也。根有极大者，作菜茹益人。〔衍义曰〕恶实是子也，今谓之牛蒡子。在萼中、萼上有细钩，多至百十，未去萼时，又谓之鼠黏子。根长一二尺，粗如拇指，谓之牛菜，本为一物而根实之名不同耳。

地 〔图经曰〕生鲁山平泽，今处处有之。〔道地〕蜀州。

时 〔生〕春生叶，夏结实。〔采〕秋后取子，冬月取根。

收 暴干。

用 根、实、茎。

质 实，类柏子而扁。

色 黑褐。

味 辛。

性 平，散。

气 气之薄者，阳中之阴。

臭 香。

主 咽喉痛，疮疡毒。

行 通十二经脉。

制 〔雷公云〕用子，净拣勿令有杂子。凡用以酒拌蒸，待上有白霜拭去，焙干，别捣如粉入药。○用根，以竹刀或荆刀刮去皮土，蒸，暴之。

治 〔疗〕〔唐本注云〕子，除诸风，癥瘕，冷气，吞一枚可出痈疽头。○根，主牙齿疼痛，劳疟，脚缓弱，风毒，痈疽，咳嗽伤肺，肺痈，疝瘕，积血。〔药性论云〕根，主面目烦闷，四肢不健，通十二经脉，洗五脏恶气。〔陈藏器云〕子，消风毒肿，诸瘘。○叶，捣傅杖疮不脓，辟风。〔汤液本草云〕子，利咽膈，润肺，散气。〔别录云〕子，散肢节、筋骨烦热毒。○根，捣汁，疗时气余热不退，烦躁发渴，四肢无力，不能饮食。○茎叶取汁，夏月多浴，去皮间习习如虫，行风洗了，慎风少时，并消一切肿毒。〔补〕〔药性论云〕根作菜食，令人身轻。

　　合治　子末浸酒，任性服多少，除诸风，明目，利腰脚。○合马蔺子，疗喉痹。○合荆芥穗等分，疗疮疱将出；如疮疹已出，服之亦妙。○合浮萍、薄荷等分，疗皮肤风热，遍身生瘾疹。○合荆芥、炙甘草，疗风壅，痰涎多唾，咽膈不利。○根，捣汁合蜜服，疗中暴风。○茎、叶，捣取浓汁，合无灰酒、盐花，煻火煎成膏，磨，疗风头及脑掣痛不可禁者，亦主时行头痛。

　　禁　用根，须蒸暴干，不尔令人吐。

　　解　丹石毒。

○ 草之走

水萍

无毒　浮生

水萍出神农本经。主暴热，身痒，下水气，胜酒，长须发，主消渴。久服轻身。以上朱字神农本经。**下气，以沐浴，生毛发。**以上黑字名医所录。

名 水花、水白、水蘚、芣菜。

苗〔图经曰〕此是水中大萍，叶圆，阔寸许，叶下有一点如水沫，名芣菜。《尔雅》谓之苹，其大者曰蘋。季春始生，可糁蒸以为茹也。苏恭云：此有三种，大者曰蘋；中者曰荇菜，即下条之凫葵；小者曰浮萍，即沟渠间生者是也。〔高供奉歌曰〕不在山兮不在岸，采我之时七月半。选甚瘫风与缓风，些小微风都不算。豆淋酒内下三丸，铁幞头上也出汗。

地〔图经曰〕生雷泽、地泽，今处处溪涧水间皆有之。

时〔生〕春生。〔采〕三月、七月取。

收 暴干。

用 叶。

质 类凫葵。

色 青绿。

味 辛、酸。

性 寒，散。

气 气薄味厚，阴中之阳。

臭 腥。

主 消水肿，利小便。

制 为末或捣汁用。

治〔疗〕〔图经曰〕恶疾，遍身疮，浓煮汁，渍浴之。〔日华子云〕治毒风，热疾，热狂，熁肿毒，汤火疮，风疹。〔陈藏器云〕小萍子末，傅面皯，亦可傅热疮。又为膏，长发。

合治 合栝楼、人乳为丸，止消渴。○为末合酒服，除中毒。○合鸡子清，贴发背毒肿，焮热赤烂。○浮萍草一两，以四月十五者，合麻黄去节根、桂心、附子炮裂去脐皮各半两，捣筛，每服二钱，以水一中盏，入生姜半分，煎至六分，不拘时和滓服，治时行热病，汗出乃瘥。

解 蛇咬，毒入腹，捣绞汁饮之。

○ 草之走

王瓜

无毒　蔓生

王瓜出神农本经。主消
渴，内痹，瘀血，月
闭，寒热酸疼，益气，
愈聋。以上朱字神农本经。
疗诸邪气，热结，鼠
瘘，散痈肿留血，妇
人带下不通，下乳汁，
止小便数不禁，逐四
肢骨节水，疗马骨刺，
人疮。以上黑字名医所录。

名　土瓜、老鸦瓜、藤①菇②、钩菇。

苗　〔图经曰〕《月令》云：四月王瓜生，即此也。蔓生，叶似栝楼，圆无叉缺，有刺如毛。五月开黄花，花下结子如弹丸而长，生青熟赤。根似葛，细而多糁，谓之土瓜根。北间者，其实累累相连大如枣，皮黄肉白，苗叶都相似，但根状不同耳。〔衍义曰〕王瓜体如栝楼，其壳径寸。一种长二寸许，上微圆，下尖长，七八月间熟，红赤色，壳中子如螳螂头者，今人又谓之赤雹子。其根，即土瓜根也，于细根上又生淡黄根，三五相连如大指许，根与子两用。

地　〔图经曰〕生鲁地平泽、田野及人家墙垣间，今处处有之。

时　〔生〕四月生苗。〔采〕三月取根，七八月取实。

收　阴干。

用　根、实、叶。

质　实类栝楼实而小长，根类葛细而多糁。

色　红。

味　苦。

性　寒，泄。

气　味厚于气，阴也。

臭　腥。

制　剉碎用。

治　〔疗〕〔唐本注云〕王瓜，除黄疸，破血。〔药性论云〕子，主蛊毒并小便数遗不禁。〔日华子云〕子，润心肺，除黄病，生用；

---

① 藤：原注"与暌同"。

② 菇：原注"与姑同"。

肺痿吐血，肠风泻血，赤白痢，炒用。○根，主通血脉，天行热疾，酒黄病，壮热，心烦闷，吐痰，痰疟，排脓血，热劳，扑损，消瘀血，破癥癖，落胎。〔陈藏器云〕王瓜，主蛊毒，小儿闪癖，痞满并疟。○根及叶，捣绞汁服，当吐下。宜少进之，有小毒故也。〔别录云〕土瓜根，主小便不通及关格，生捣根取汁，以少水解之，筒中吹下部，取通。

合治　土瓜根末合酒服，下乳汁，每服一钱，日三。

禁　妊娠不可食。

地榆

无毒　植生

地榆<small>出神农本经。</small>主妇人乳痓痛，七伤，带下病，止痛，除恶肉，止汗，疗金疮。<small>以上朱字神农本经。</small>**止脓血，诸瘘，恶疮，热疮，消酒，除消渴，补绝伤，产后内塞，可作金疮膏。**<small>以上黑字名医所录。</small>

名 玉豉。

苗 〔图经曰〕宿根，生苗布地，茎直高三四尺，对分出叶。叶似榆，少狭细长，作锯齿状，青色。七月开花如椹，子紫黑色又如豉，故名玉豉。根外黑里红，似柳根。其叶，山人乏茗时采之作饮。

地 〔图经曰〕生桐柏、冤句山谷及平原川泽，今处处有之。〔道地〕江宁府、衡州。

时 〔生〕三月生苗。〔采〕二月、八月取根。

收 暴干。

用 根如绵软者为好。

质 类续断而肥。

色 黑。

味 苦、甘、酸。

性 微寒，收。

气 味厚于气，阴也。

臭 腥。

主 月经不止，肠风泻血。

助 得发良。

反 恶麦门冬。

衡州地榆

制　去芦，剉碎。

治〔疗〕〔图经曰〕止小儿疳痢，煮之如饴糖，服之便愈。
〔唐本注云〕除带十二病。孔氏《音义》云：一曰多赤，二曰多白，
三曰月水不通，四曰阴蚀，五曰子脏坚，六曰子门僻，七曰合阴
阳患痛，八曰小腹寒痛，九曰子门闭，十曰子宫冷，十一曰梦与
鬼交，十二曰五脏不定。〔药性论云〕除产后余瘀，痛痛，七伤，
愈金疮，止血痢，蚀脓。〔日华子云〕排脓，止吐血，鼻洪，月
经不止，血崩，产前后诸血疾及赤白痢，水泻。浓煎，止肠风。

合治　合鼠尾草，疗下血二十年者，等分水煎服。

禁　虚寒人及水泻白痢者，不可轻用。

解　捣根汁饮之，解毒蛇螫人、猘犬咬伤之毒。

○ 草之草

大蓟

无毒　植生

大蓟主女子赤白沃，安胎，止吐血，衄鼻，令人肥健。名医所录。

名 刺蓟、山牛蒡。

苗 〔衍义曰〕大小蓟皆相似，花如髻，但大蓟高三四尺，叶皱；小蓟高一二尺许，叶不皱，以此为异。〔谨按〕《本经》大小蓟混名同条，然大蓟生山谷，而小蓟生平泽，二蓟茎叶相似，比小蓟但肥大耳。以功力言之则有殊也。二物皆能破血，大蓟破血之外，亦疗痈肿，而小蓟专主血疾，不能消痈肿也。

地 〔图经曰〕旧不著所出州土，今处处有之。〔道地〕蓟州山谷。

时 〔生〕二月生苗。〔采〕四月取苗，九月取根。

收 阴干。

用 根、苗、花、叶。

质 类红蓝花。

色 青。

味 苦。

性 平，泄。

气 味厚气薄，阴中之阳。

臭 香。

主 诸血，疮肿。

制 剉碎用。

治 〔疗〕〔图经曰〕消痈肿。〔药性论云〕止崩中，下血。〔别录云〕根煮汁服，治阴冷，渐渐冷气入阴囊肿，满夜疼闷不得眠。〔补〕〔日华子云〕滋养下气。

合治 叶汁，合酒并小便，疗肠痈，腹脏瘀血，血晕扑损。○合盐研窨，傅恶疮、疥癣。

忌 犯铁器。

○ 草之草

小蓟

无毒　植生

小蓟根主养精，保血。

名医所录。

名 青刺蓟、千针草。

苗 〔图经曰〕苗高一二尺许，叶多刺，心中出花，头如红蓝花而青紫色，北人呼为千针草。初生二三寸时，并根作茹，食之甚美。然小蓟力微，只可退热，不似大蓟能补养，下气也。〔衍义曰〕山野人取为蔬，甚适用。虽有微芒，亦不能害人。

地 〔图经曰〕旧不著所出州土，今处处有之。〔陶隐居云〕田野甚多。〔唐本注云〕生平泽。〔别录云〕北地者为胜。〔道地〕冀州。

时 〔生〕二月生苗，五月开花。〔采〕四月取苗，九月取根。

收 阴干。

用 根、苗、叶。

质 类红蓝花而短小。

色 青。

味 甘。

性 温，缓。

气 气之厚者，阳也。

臭 香。

主 诸血。

制 剉碎用。

治 〔疗〕〔图经曰〕根汁，止吐血、衄血、下血。〔唐本注云〕破血。〔日华子云〕根，除热毒风并胸膈烦闷，开胃下食，退热。○苗，生研汁服，去烦热。〔陈藏器云〕破宿血，止新血，暴下血，血崩，金疮出血等，小蓟绞取汁温服。〔别录云〕作菜煮食之，除风热。○根，主崩中，又女子月候伤过。○叶，主封金疮血不止。取汁服，疗夏月热烦闷不止，并心热吐血，又鼻窒塞不通。〔补〕

〔日华子云〕根，益虚损。

合治 作煎和糖，合金疮及蜘蛛、蛇、蝎毒。○捣汁合蜜少许，疗乳石发动，壅热，心闷，吐血。○捣汁合酒服，或末以水调服三钱，治九窍出血。

忌 犯铁器。

海藻

无毒　附石帆、水松、马藻　水生

海藻出神农本经。主瘿瘤，气颈下核，破散结气，痈肿，癥瘕，坚气，腹中上下鸣，下十二水肿。以上朱字神农本经。疗皮间积聚，暴癀，留气热结，利小便。以上黑字名医所录。

名 落首、薄、薅、海萝。

苗 〔图经曰〕叶似纇①，生海中，根著水底石上，黑色如乱发而粗大，类水藻，谓之大叶藻。一种如短马尾者，生浅水，细而黑色，海人以绳系腰没水下，则得之。二种不分功状，总谓之海藻者，由其皆生于海，其味咸能软坚之义也。若《诗》所谓于以采藻，于彼行潦。陆机云：藻，水草也。生水底。亦有二种，一种叶如鸡苏，茎似箸，长四五尺；一种茎如钗股，叶如蓬蒿，谓之聚藻。二藻但能作茹而已。非海中所生者，其味未必咸，其功未必同也。又有石帆，平，无毒，生海屿石上，状如柏梗，高尺许如箸，紫色无叶，见风渐硬，色如漆，其花离楼相贯连，死则浮水中，人于海边得之，稀有见其生者。水松，其形似松，出南海交趾。又有马藻，大寒，生水上，如马齿相连者是也。三物各有疗疾之功，故并附之。

地 〔图经曰〕生东海池泽，今出登、莱诸州海中皆有之。

时 〔生〕无时。〔采〕七月七日取。

收 暴干。

用 茎、叶。

质 类水藻而细。

色 黑。

味 咸。

性 寒，软。

气 气薄味厚，阴也。

臭 腥。

---

① 纇：原注"音薤"。

主 散瘿瘰，溃坚肿。

反 甘草。

制 〔雷公云〕凡使，先须用生乌豆并紫背①天葵同蒸一伏时，候日干用之。

治 〔疗〕〔图经曰〕治水瘕。〔药性论云〕辟百邪鬼魅，除气疾急满，去疝气，下坠疼痛，核肿，腹中雷鸣幽幽作声。〔孟诜云〕起男子阴气，消男子癀疾。〔别录云〕消宿食，疗五膈痰壅，水气浮肿，脚气，奔豚气。〔陶隐居云〕水松，疗溪毒。〔陈藏器云〕马藻，大寒。捣，傅小儿赤白游疹，火焱热疮。绞汁服，去暴热，热痢，止渴。〇石帆，主妇人血结，月闭，石淋。

合治 合酒渍数日，稍稍饮之，疗颔下瘰疬如梅李，并疗颈下卒结囊，欲成瘿。

禁 北人不可多食，食之倍生诸病。妊娠亦不可服。〇水松，食之生水肿。

---

① 背：原作"贝"，据《证类本草》改。

○ 草之草

泽兰

无毒　植生

泽兰出神农本经。主乳妇内衄，中风余疾，大腹水肿，身面四肢浮肿，骨节中水，金疮，痈肿疮脓。以上朱字神农本经。产后金疮内塞。以上黑字名医所录。

名 虎兰、龙枣、虎蒲、水香。

苗〔图经曰〕根紫黑色，似粟根，二月生苗，高二三尺，茎干青紫色，作四棱，叶生相对如薄荷，微香，七月开花，带紫白色，萼通紫色，亦似薄荷花。荆、湖、岭南人家多种之，寿州出者无花子，与兰草大抵相类。但兰草生水傍，无枝干，叶光润，根小紫；而泽兰生水泽中及下湿地，叶尖微有毛不光润，方茎紫节。〔雷公云〕使须分别，大泽兰形，叶圆，根青黄。生血调气，与荣合小者迥别。

地〔图经曰〕生汝南诸大泽傍，今荆、随、寿、蜀州，河中府皆有之。〔道地〕徐州、梧州。

时〔生〕春生苗。〔采〕三月三日取茎叶。

收 阴干。

用 茎、叶。

质 状如薄荷。

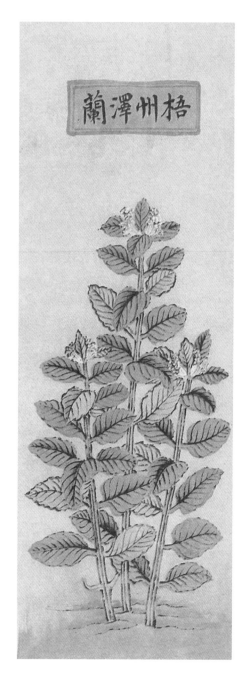

梧州泽兰

色 青紫。

味 苦、甘。

性 微温，泄。

气 气厚味薄，阳中之阴。

臭 微香。

主 养血气，去虚肿。

助 防己为之使。

制 〔雷公云〕凡修事，细剉以绢袋盛，悬于屋南畔角上，令干用。

治 〔疗〕〔药性论云〕治产后肚腹痛，血气衰冷成劳，瘦羸，又除通身面目大肿，并妇人血沥，腰痛。〔日华子云〕通九窍，利关脉，破宿血，消癥瘕，产前产后百病，通小肠，长肉生肌，消扑损瘀血，治鼻洪，吐血，头风，目痛，妇人丈夫面黄。〔别录云〕小儿蓐疮，嚼泽兰心封上。

○ 草之草

昆布

无毒　附紫菜　水生

昆布主十二种水肿，瘿瘤，聚结气，瘘疮。名医所录。

苗〔陶隐居云〕生南海，叶如手大。似薄苇，紫色，出高丽。绚作绳索，如卷麻而黄黑色，柔韧可食。〔海药云〕生东海水中，其草顺流而生。新罗者黄黑色，叶细。胡人采得，搓之为索。又有一种紫菜，附石，生南海上，正青，取干之则紫色，而亦有疗疾之功，故附于此。

地〔图经曰〕生东海，今亦出登、莱诸州。〔陶隐居云〕出高丽，及南海有之。

时〔生〕无时。〔采〕无时。

收 阴干。

用 叶。

质 类紫菜而扁厚。

色 紫赤。

味 咸。

性 寒，软。

气 味厚于气，阴也。

臭 腥。

主 散瘿瘤，溃坚肿。

制〔雷公云〕凡使，先同弊甑箪煮去咸味，焙，细剉用。每修事一斤，用甑箪大小十个，同昆布细剉，二味各一处下东流水，从巳煮至亥，水旋添，勿令少。

治〔疗〕〔药性论云〕利水道，去面肿，并恶疮，鼠瘘。〔陈藏器云〕阴㿗，含之咽汁。○紫菜，味甘，寒，主下热烦。多食令人腹痛，发气，吐白沫。饮少热醋消之。

合治 捣末，合醋浸，含之咽津，治瘿气结核，瘰疬肿硬。

禁 久服瘦人，妊娠亦不可服。

○ 草之走

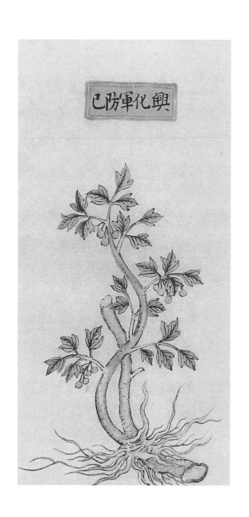

防己

无毒　附木防己　蔓生

防己出神农本经。主风寒，温疟，热气，诸痫，除邪，利大小便。以上朱字神农本经。疗水肿，风肿，去膀胱热，伤寒寒热邪气，中风，手脚挛急，止泄，散痈肿，恶结，诸蜗疥癣，虫疮，通腠理，利九窍。以上黑字名医所录。

名 解离。

苗 〔图经曰〕汉中出者苗叶小，类牵牛，茎梗甚嫩，折其茎一头吹之，气从中贯，如木通类，截断有纹如车辐，色黄，坚实而香。它处者青白虚软及有腥气，皮皱，上有丁足子，名木防己，不任用也。

地 〔图经曰〕生兴化军、黔中、宜都、建平、华州。〔道地〕汉中为胜。

时 〔生〕春生叶。〔采〕二月、八月取根。

收 阴干。

用 根大而有粉者为好。

质 类木通，黄实而香。

色 黄。

味 辛、苦。

性 平、温，泄。

气 气薄味厚，阴中之阳。

臭 香。

主 利窍，渗湿。

行 十二经。

助 殷蘖为之使。

反 汉防己畏萆薢，恶细辛。〇木防己畏女菀、卤碱。

制 〔雷公云〕凡用，与车前草①根相对同蒸半日后出，晒，去车前草根，细剉之。

治 〔疗〕〔陶隐居云〕疗风，水气。〔药性论云〕祛湿风，口面㖞斜，手足疼，散留痰，主肺气嗽喘。〇木防己，治男子肢节中风，毒风不语，及散结气，痈肿，温疟，风水肿。

合治 合葶苈等分为末，糯米饮调服，治肺痿咯血多痰。

忌 生葱。

解 杀雄黄毒。

赝 木通为伪。

---

① 草：原无，据后文补。

○ 草之草

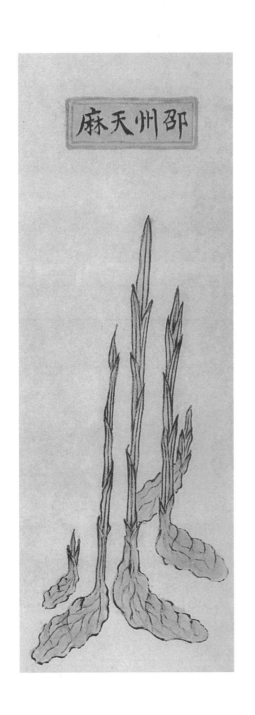

天麻

无毒　植生

天麻主诸风湿痹，四肢拘挛，小儿风痫，惊气，利腰膝，强筋力。久服益气，轻身长年。名医所录。

名　定风草、龙皮、赤箭脂。

苗　〔图经曰〕春生苗，初出若芍药，独抽一茎直上，高三二尺，如箭竿状，青赤色，故名赤箭脂。茎中空，依半以上，贴茎微有尖小叶，梢头生成穗，开花，结子如豆粒大，其子至夏不落，却透虚入茎中，潜生土内，其根形如黄瓜，连生一二十枚，大者有重半斤或五六两，其皮黄白色。〔陶隐居云〕茎端结实，状若续随子，至叶枯时，子黄熟，其根连一二十枚，如天门冬之类，亦如芦菔，大小不定。彼人多生啖，或蜜渍为果，或蒸煮食之。

地　〔图经曰〕出郓州、利州，泰山、崂山诸山，今京东、京西、湖南、淮南州郡亦有之。〔道地〕邵州、郓州者佳。

时　〔生〕春生苗。〔采〕二月、三月、五月、八月取根。

收　暴干。

用　根白而明净者为好。

质　类黄瓜而微小。

色　黄白。

味　辛。

性　平，散。

气　气之薄者，阳中之阴。

臭　香。

主　诸风，眩晕。

制　初取得去芦，乘润刮去皮，蒸之，暴干用。

治　〔疗〕〔药性论云〕治冷气，痹痹，瘫痪不遂，语多恍惚，多惊失志。〔日华子云〕杀鬼疰，蛊毒，通血脉关窍。〔陈藏器云〕疗热毒，痈肿。〔别录云〕主诸毒恶气，支满，寒疝，下血。○子，去热气。〔补〕〔日华子云〕助阳气，五劳七伤。

禁　御风草，缘与天麻相似，只是根茎有斑，叶皆白有青点。使御风草根，若与天麻同用，即令人有肠结之患。

○ 草之草

高良姜

无毒　<u>丛生</u>

高良姜主暴冷，胃中
冷逆，霍乱，腹痛。

名医所录。

苗〔图经曰〕春生茎，叶如姜苗而大，高一二尺许，花红紫色，如山姜。〔陶隐居云〕形气与杜若相似，生岭南者形大虚软，江左者细紧，亦不甚辛，其实一也。

地〔陶隐居云〕出高良郡，今岭南诸州及黔、蜀皆有之。〔道地〕儋州、雷州。

时〔生〕春生苗。〔采〕二月、三月取根。

收 暴干。

用 根。

质 类菖蒲而坚。

色 赤。

味 辛。

性 大温。

气 气之厚者，阳也。

臭 香。

主 心腹冷痛。

制 剉碎用。

治〔疗〕〔药性论云〕治腹久冷，胃气逆，呕吐，祛风，破气，腹冷气痛，及风冷痹弱并下气，冷逆冲心，腹痛吐泻。

雷州高良薑

〔日华子云〕治转筋，泻痢，反胃，呕食，消食。〔陈藏器云〕益声，好颜色。

　　合治　为末，合米饮调服，治心脾痛，以一钱匕立止。

　　解　酒毒。

○ 草之草

百部根

《唐本》云有小毒　丛生

百部根主咳嗽上气。

名医所录。

名 婆妇草。

苗 〔图经曰〕春生苗，作藤蔓，叶大而尖长，颇似竹，叶面青色而光，根下作撮如芋子，一撮十五六枚，黄白色。〔陶隐居云〕其根数十相连，似天门冬而苦强。〔博物志云〕九真有一种草，似百部但长大耳，悬火上令干，夜取四五寸短切，含咽汁勿令人知，主暴嗽甚良，名为嗽药。恐其土肥润处，是以长大为异。〔雷公云〕

忽有一窠自有八十三条者，号曰地仙苗。若修事饵之，寿可千岁。

地〔图经曰〕旧不著所出州土，今江、湖、淮、陕、齐、鲁州郡皆有之。〔道地〕衡州、滁州、峡州。

时〔生〕春生苗。〔采〕二月、三月、八月取根。

收 暴干。

用 根肥润者佳。

质 类天门冬而细小。

色 黄白。

味 苦、甘。

性 微寒。

气 气厚味薄，阳中之阴。

臭 腥。

主 益肺气。

制〔雷公云〕凡用，竹刀劈破去心，酒浸一宿，漉出，焙干用之，或生用亦可。

治〔疗〕〔药性论〕治肺热，上气，咳逆。〔日华子云〕疗疳蛔，传尸，骨蒸劳，杀蛔虫、寸白蛲虫，并治一切树木蛀蚛。〔补〕〔药性论云〕润肺。

合治 汁合生姜汁，煎服二合，疗卒嗽。○炙，合酒浸，空腹饮，去虫蚕咬，兼疗癣疮。

赝 今房山以萱草根蒸压令扁，市之乱真。然百部根细润肥腻而色黄白，萱草根虚软而色微紫，为异尔。

○ 草之草

茴香子

无毒 丛生

茴香子主诸瘘，霍乱
及蛇伤。名医所录。

名 蘹^①香子。

苗 〔图经云〕三月生叶，似老胡荽，极疏细，作丛，至五月高三四尺，七月生花，头如伞盖，黄色，结实如麦而小，青色。北人呼为土茴香者是。今人家园圃种之甚多。〔衍义曰〕茴香，叶似老胡荽，此误矣。胡荽叶如蛇床，茴香徒有叶之名，但散如丝发，特异诸草，其枝上时有大青虫，形如蚕。亦治小肠气，甚良。

地 〔图经曰〕《本经》不载所出，今交、广诸蕃及近郡皆有之。〔道地〕简州。

时 〔生〕春生叶。〔采〕八月、九月取实。

收 阴干。

用 实。

色 青褐。

味 辛。

性 平，散。

气 气厚于味，阳也。

臭 香。

主 肾劳，癫疝。

行 手太阳经、少阴经，足太阳经、少阴经。

助 得酒良。

制 微炒，捣碎用。

治 〔疗〕〔图经曰〕除恶毒，痈肿，或连阴髀间疼痛，急挛牵入小腹不可忍，一宿则杀人者。用茴香苗叶捣取汁服之，其滓以贴肿上。冬间根亦可用。〔唐本注云〕茴香子，主膀胱肾间冷气，

---

① 蘹：原注"音怀"。

及育肠气，调中止痛，呕吐。〔药性论云〕破一切臭气，又卒恶心腹中不安。取茎叶煮，食之即瘥。〔日华子云〕茴香子，除干湿脚气，开胃下食，及膀胱痛，阴疼。〔衍义曰〕茴香子，疗膀胱肿痛，调和胃气，并小肠气。

合治 茴香子，合生姜同捣令匀，净器内湿纸盖一宿，次以银石器中文武火炒令黄焦，为末，酒丸桐子大。服十丸，茶酒下，理脾胃，进食。〇生捣茎叶汁，合热酒等分服之，疗卒肾气冲胁，如刀刺痛，喘息不得。亦理小肠气。

○ 草之草

款冬花

无毒　丛生

款冬花出神农本经。主咳逆上气，善喘，喉痹，诸惊痫，寒热邪气。以上朱字神农本经。消渴，喘息，呼吸。

以上黑字名医所录。

名　橐吾、颗冻、虎须、菟奚、氏冬、钻冻。

苗〔图经曰〕根紫色，茎青叶紫，似萆薢，十二月开黄花，青紫萼，去土一二寸，初出如菊花，萼通直而肥实无子。即陶隐居所谓出高丽、百济者，近此类也。又有红花者，叶如荷而斗直，大者容一升，小者容数合，俗呼为蜂斗叶，又名水斗叶。即唐注所谓大如葵而丛生者是也。〔衍义曰〕百草中，惟此不顾冰雪最先春也。世又谓之钻冻，虽在冰雪之下，至时亦生芽，春时人或采以代蔬。入药，须微见花者良，如已芬芳则都无力也。今人又多使如箸头者，恐未有花耳。

地 〔图经曰〕出常山山谷及上党水傍，今关中亦有之。〔唐本注云〕雍州，南山溪水，华州山谷涧间。〔道地〕晋州、潞州、耀州、秦州。

时 〔生〕春生苗。〔采〕十一月取花。

收 阴干。

用 花。

质 类枇杷花未舒者。

色 赤紫。

味 辛、甘。

性 温，散。

气 气之厚者，阳也。

臭 香。

主 温肺止嗽。

助　杏仁为之使，得紫菀^①良。

反　畏贝母、辛夷、麻黄、黄芪、黄芩、黄连、青葙，恶皂荚、消石、玄参。

制　〔雷公云〕凡采得，须去向里裹花蕊壳并向里实如粟零壳者，并枝叶用，以甘草水浸一宿，却，取款冬花叶相拌裹一夜，临用时去两件拌者，晒干用。

治　〔疗〕〔药性论云〕清肺气，心促急，热乏劳，咳连连不绝，涕唾稠粘，肺痈吐脓。〔日华子云〕润心肺，除烦，消痰，肺痿吐血，心虚惊悸，洗肝明目，及中风等疾。〔衍义曰〕有人病嗽多日，或教以燃款冬花三两枚于无风处，以笔管吸其烟，满口则咽之，数日效。〔补〕〔日华子云〕益五脏，补劳劣。

---

① 菀：原作"苑"，据卷十"紫菀"条改。

○ 草之草

红蓝花

无毒　植生

红蓝花主产后血晕口噤，腹内恶血不尽，绞痛，胎死腹中，并酒煮服。亦主虫毒，下血，堪作胭脂。○苗，生捣碎，傅游肿。○子，吞数颗，主天行疮子不出。○胭脂，主小儿聤耳，滴耳中。名医所录。

名 红花、黄蓝。

苗 〔图经曰〕此即红花也。今处处场圃中，冬月布子于熟地，至春生苗。状如大蓟，茎端作梂汇，多刺，五六月花蕊出梂上。圃人乘露采之，采已，复出至尽。而罢球中结实，白颗如小豆大，其花可以染真红，但叶颇似蓝，故有蓝名耳。《博物志》云：此种乃张骞使西域所得也。

地 〔图经曰〕出梁汉及西域，今仓魏亦种之。〔道地〕镇江。

时 〔生〕春生苗。〔采〕五六月取花。

收 暴干。

用 花、实。

质 类小蓟蕊。

色 红。

味 辛、甘、苦。

性 温，散。

气 气厚于味，阳中之阴。

臭 香。

主 破血。

治 〔疗〕〔图经曰〕花，绞汁服，主妇人产晕欲绝者，并产后血病及喉痹，壅塞不通。○子，主女子中风，血热，烦渴。〔唐本注云〕花，主口噤不语，血结，产后诸疾。〔别录云〕花，疗一切肿。○子，疗产后中风，烦渴。

合治 以二钱半，合酒一大升煎，强半顿服，疗六十二种风兼腹内血气刺痛。○五钱为末，合酒二中盏，煎取一盏，并服。如口噤，斡开灌之，治产后血晕，心闷气绝。○新者三两，合无灰酒、童便各半升，煮一大盏，冷服，疗血晕绝不识人，烦闷者。

○ 草之草

京三棱

无毒　附鸡爪三棱、石三棱
植生

京三棱主老癖，癥瘕
结块。俗传：昔人患
癥癖死，遗言令开腹
取之，得病块干硬如
石，纹理有五色，人
谓异物，窃取削成刀
柄,后因以刀刈三棱，
柄消成水，乃知此可
疗癥癖也。名医所录。

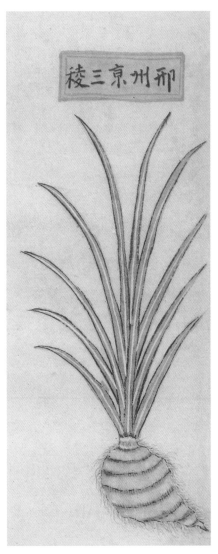

　　苗〔图经曰〕春生苗，高三四尺，似茭蒲，叶皆三棱，五六月开花似莎草，黄紫色。霜降后采根，削去皮须，黄色形扁，长如小鲫鱼状，体重者佳。多生浅水傍，或陂泽中，其根初生成块如附子大。或有扁者，傍生一根又成块，亦出苗。其不出苗只生细根，钩屈如爪者，谓之鸡爪三棱。又不生细根者，谓之黑三棱，大小不常，其色黑，状似乌梅而稍大，有须相连，蔓延体轻，去

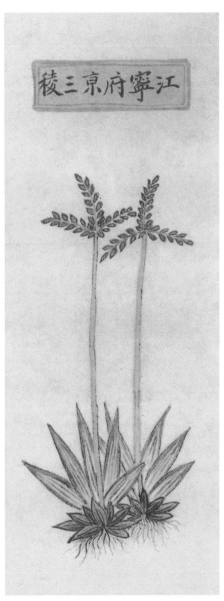

皮即白。三者本一物，但力有刚柔，各适其用，因其形为名。如乌头、乌喙，云母、云华之类，本非两物也。河中府又有石三棱，根黄白色，形如钗股，叶绿色如蒲，苗高及尺，叶上亦有三棱。四月开花，白色，如红蓼花。五月采根，亦消积气。一说三棱生于荆楚，字当作荆，以著其地，《本经》作京，非也。今世都不复有三棱，所用皆淮南红蒲根耳，秦州尤多，举世皆用之。虽世医不以为谬，盖流习既久，用根者不识其苗，采药者莫究其用，因缘差失不复更辨。今红蒲根至坚重，刻削而成，莫知形体，又叶扁茎圆，不复有三棱处，不知何缘名三棱也？今三棱皆独有二根，傍引而无直下者，其形大，体亦多如鲫鱼状也。

地　〔图经曰〕旧不著所出地土，今河陕、江淮、荆襄间皆有之。〔道地〕随州、荆州。

时　〔生〕春生苗。〔采〕五月取根。

收　暴干。

用　根体重者佳。

质　形扁如鲫鱼。

色　黄。

味　苦。

性　平，泄。

气　味厚于气，阴中之阳。

臭　朽。

主　消瘀血，破积气。

制　火炮去皮须。

治　〔疗〕〔日华子云〕治妇人血不调，心腹痛，消恶血，通月经，除气胀，消扑损瘀血，产后腹痛，血晕并宿血不下。〔汤液本草云〕破血中之气及破积气。〔别录云〕煎汁洗奶，下乳汁。合治取汁，合米面为羹粥，治小儿气癖。与乳母食，每日取一枣大与小儿食，凡小儿十岁以下及新生百日，无问痫热、无辜、疬癖，并治之。

禁　妊娠不可服，元气虚者勿用。

赝　红蒲根为伪。

○ 草之草

注：据正文，图中应作"宜州姜黄"

姜黄

无毒　附蒁药　<u>丛生</u>

姜黄主心腹结积，痊
忤，下气，破血，除
风热，消痈肿。功力
烈于郁金。名医所录。

苗〔图经曰〕叶长一二尺许，阔三四寸，青绿色，有斜纹，如红蕉叶而小。花红白色，至中秋渐凋，春末复生。其花先生，次方生叶，不结实，根盘屈，黄色，类生姜而圆，有节。或云：真者是经种三年以上老姜，能生花，花在根际，一如蘘荷，根节坚硬，气味辛辣，种姜处有之。按郁金、姜黄、莁药三物相近，苏恭不细辨，所说乃如一物。陈藏器《解纷》云：莁，味苦、色青；姜黄，味辛温、色黄；郁金，味苦寒、色赤，三物不同，所用全别。

地〔图经曰〕旧不载所出州郡，今江广、蜀川多有之。〔道地〕宜州、澧州。

时〔生〕春生苗。〔采〕八月取根。

收 暴干。

用 根。

质 类生姜，圆而有节。

色 黄。

味 辛、苦。

澧州黄薑

性　大寒。又云：温。

气　气厚味薄，阳中之阴。

臭　香。

主　散疮疡，消积气。

制　剉碎用。

治　〔疗〕〔图经曰〕消气胀及产后败血攻心，甚验。生啖可以祛邪，辟恶。〔日华子云〕除癥瘕，血块，痈肿，通月经，消扑损瘀血，并肿毒，止暴风痛，冷气，下食。〔唐本注云〕莸，主恶气，痓忤，心痛，血气结积。〔别录云〕疮癣初生或始痛痒，为末傅之。

合治　以一两，合桂三两为末，醋汤下一钱匕，疗心痛。

○ 草之草

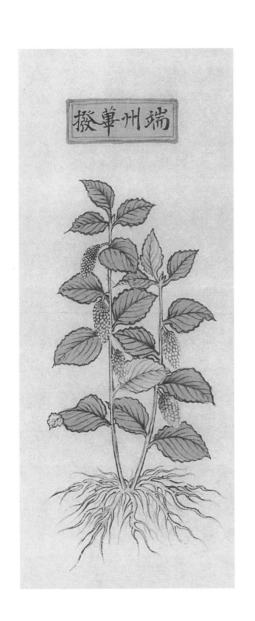

荜拨

无毒　附根　丛生

荜拨主温中，下气，
补腰脚，杀腥气，消食，
除胃冷，阴疝，痃癖。
○根，名荜拨没。主
五劳七伤，阴汗，核肿。
名医所录。

苗〔图经曰〕此种多生林竹内，正月发苗作丛，高三四尺。其茎如箸，叶青圆，阔二三寸，如桑，面光而厚。三月开花，白色在表，七月结子如小指大，长二寸许，青黑色，类椹子。其根似柴胡而黑硬也。〔陈藏器云〕此药丛生，叶似蒟酱，子紧细，味辛烈于蒟酱也。

地〔图经曰〕出波斯国，今岭南有之。〔海药云〕出南海。〔道地〕端州。

时〔生〕春生苗。〔采〕九月取穗。

收 灰杀，暴干。

用 穗及根。

质 类椹子而长。

色 青黑。

味 辛。

性 大温。

气 气之厚者，阳也。

臭 香。

主 冷气呕逆。

制〔雷公云〕凡使，先去挺用头，醋浸一宿，焙干，以刀刮去皮粟子，令净方用。免伤人肺，令人上气。

治〔疗〕〔日华子云〕除霍乱冷气，心痛血气。〔衍义曰〕走肠胃中冷气，呕吐，心腹满痛。〔别录云〕止偏头疼，研为末，令患者口中含温水，左边疼令左鼻吸一字，右边疼右鼻吸一字，瘥。〔陈藏器云〕荜拨没，主冷气呕逆，心腹胀满，食不消，寒疝核肿，妇人内冷无子，去腰肾冷，除血气。

合治 合阿魏，疗老冷心痛，水泻虚痢，呕逆醋心，产后泄痢。
○合人参、桂心、干姜、诃子，疗脏腑虚冷，肠鸣泄痢。○合黄
牛乳煎，治气痢。

禁 多服，走泄真气，令人肠虚下重。

○ 草之走

蒟酱

无毒　蔓生

蒟[1]酱主下气，温中，破痰积。名医所录。

---

① 蒟：原注"音矩"。

名　土荜拨。

苗　〔图经曰〕刘渊林注《蜀都赋》云：蒟酱缘木而生，其实似桑椹，熟时正青，长二三寸，以蜜藏而食之辛香，温调五脏。今云：蔓生，叶似王瓜而厚大，实皮黑肉白，其苗为浮，留藤取叶，合槟榔食之，辛而香也。两说大同小异，然则渊林所云乃蜀种如此，今说是海南所传耳，今惟贵荜拨而不尚蒟酱，故鲜有用者。

地　〔图经曰〕生巴蜀，今夔川、岭南皆有之。〔唐本注云〕出番禺城及西戎，交、爱、渝、泸等州。〔海药云〕出波斯国。

时　〔生〕春生苗。〔采〕熟时取实。

收　暴干。

用　实。

质　类桑椹。

色　皮黑，肉白。

味　辛。

性　温，散。

气　气之厚者，阳也。

臭　香。

主　调五脏，散结气。

制　〔雷公云〕凡使，采得后以刀刮上粗皮，便捣，用生姜自然汁拌之，蒸一日了，出，日干。每修事五两，用生姜汁五两，蒸干为度。

治　〔疗〕〔海药云〕治咳逆上气，心腹虫痛，胃虚泻，霍乱吐逆。〔食疗云〕温散结气及心腹中冷气，尤治胃气疾，又下气消谷。

解　酒食味。

○ 草之走

萝藦子

无毒　蔓生

萝藦子主虚劳。叶，食
之功同于子。名医所录。

名　芄兰、雀瓢。

苗　〔陶隐居云〕叶厚大，作藤，两节相对而圆，其茎摘之有白汁，人家多种之。可以生啖，亦堪蒸煮食也。〔唐本注云〕按雀瓢是女青别名，叶盖相似，以叶似女青，故兼名雀瓢。今陆机云：幽州人谓之雀瓢，非也。又《尔雅》云：萝，芄兰。释曰：萝，谓之芄兰。郭璞云：萝，芄，蔓生，断之有白汁，可啖。如此注即是萝芄，又名兰也。

地　〔图经曰〕生幽州。

时　〔生〕春生苗。〔采〕秋取实。

收　暴干。

用　实、茎、叶。

质　叶类女青。

色　青。

味　甘、辛。

性　温，散、缓。

气　气之厚者，阳也。

臭　香。

主　丹火毒。

治　〔疗〕〔唐本注云〕条中白汁，疗蜘蛛蚕咬，折取汁点疮上。〔别录云〕萝藦草，治白癜风。取白汁傅上，揩令破，再傅三度，瘥。及疗丹火毒，遍身赤肿不可忍者。捣绞取汁，傅之或捣傅上，随手消。

○ 草之草

郁金

无毒　丛生

郁金主血积，下气，生肌，止血，破恶血，血淋，尿血，金疮。

名医所录。

苗　〔图经曰〕苗似姜黄，花白质红，秋末出茎心而无实，根黄赤色，此即四畔子根也。〔衍义曰〕郁金不香，今人将染衣最鲜明，然不耐[①]日炙，染成衣则微有郁金之气。

地　〔图经曰〕出西戎，今广南、江西州郡亦有之。〔道地〕蜀州、潮州。

时　〔生〕四月生苗。〔采〕二月、八月取根。

收　刮去皮，火干。

用　根蝉肚者为好。

质　类姜黄，轻浮而小。

色　黄赤。

味　辛、苦。

性　寒，泄。

气　气薄味厚，阴也。东垣云纯阴。

臭　香。

主　破恶血，散结气。

制　剉碎或碾末用。

合治　合温醋磨服之，疗女人宿血气心痛，冷气结聚。○以一两捣为末，合葱白一握相和，以水一盏，煎至三合，去滓温服，日三，疗尿血不定。○以一分，合藜芦十分，各为末和匀，每服一字，用温浆水一盏，先以少浆水调下，余者水漱口都服，便以食压之，疗风痰。○以五个大者，合牛黄一皂荚子大，别细研，二味同为散，每服用醋浆水一盏，同煎三沸，温服，疗阳毒入胃，下血频，疼痛不可忍。

---

① 耐：原作"奈"，据《证类本草》改。

○ 草之草

马先蒿

无毒　丛生

马先蒿主寒热，鬼疰，
中风，湿痹，女子带
下病，无子。神农本经。

名 马屎蒿、蔚、牡菣[1]、马新蒿、烂石草、虎麻。

苗 〔图经曰〕春生苗，叶如益母草，花红白色，八九月有实，俗谓虎麻。《小雅》所谓匪我伊蔚是也。陆机云：蔚，牡蒿。牡蒿，牡菣也。三月始生，七月花，似胡麻花而紫赤，八月为角，角似小豆角锐而长。郭璞注《尔雅》：蔚，牡菣，谓无子者。而陆云有子，二说小异，今当用有子者为正。

地 〔图经曰〕生南阳川泽，近道处处有之。

时 〔生〕春生苗。〔采〕三月、八月取茎、叶。

收 阴干。

用 茎、叶。

质 类茺蔚苗而短。

色 青。

味 苦。

性 平，泄。

气 味厚气薄，阴中之阳。

臭 香。

主 祛风癞，散湿痹。

制 去土及根，剉碎用。

治 〔疗〕〔陶隐居云〕消恶疮。

合治 细剉，炒为末，每空心及晚食前温酒调下二钱匕，治风癞疾，骨肉疽败，百节疼酸，眉鬓脱落，身体习习痒痛。

---

① 菣：原注"衍刃切"。

○ 草之草

延胡索

无毒　蔓生

延胡索主破血，产后诸病因血所为者，妇人月经不调，腹中结块，崩中淋露，产后血晕，暴血冲上，因损下血，或酒磨及煮服。名医所录。

苗 〔图经曰〕春生苗，作蔓延被，郊野或园圃间多有之，其根如半夏而色黄，至秋采之，为产家之圣药也。

地 〔海药云〕生奚国，从安东道来。〔道地〕镇江为佳。

时 〔生〕春生苗。〔采〕秋取根。

收 暴干。

用 根。蛀虫成末者为好。

质 类半夏而坚小。

色 黄。

味 辛。

性 温，散。

气 气之厚者，阳也。

臭 香。

主 破血，调气。

行 手太阴经，足太阴经。

治 〔疗〕〔日华子云〕除风，治气，暖腰膝，破癥癖，扑损瘀血，落胎及暴腰痛。〔海药云〕主肾气，破产后恶露及儿枕。〔汤液本草云〕止心气痛，小腹痛。

合治 合三棱、鳖甲、大黄为散，能散气，通经络。○以一两捣罗为散，不计时候用豆淋酒调下二钱匕，疗堕落车马，筋骨疼痛不止。○为末，合酒调服一钱匕，疗产后心闷，手脚烦热，气力欲绝，血晕，连心头硬及寒热不禁。○为末，合猪胰一具，切作块子，炙熟，蘸药末食之，疗膜外气及气块。

禁 妊娠不可服。

一十种陈藏器余

百丈青味苦，寒、平，无毒。主解诸毒物，天行瘴疟，疫毒。并煮服，亦生捣绞汁。生江南林泽，藤蔓紧硬，叶如薯蓣，对生根，服令人下痢。

斫合子无毒。主金疮，生肤止血。捣碎傅疮上。叶，主目热赤，挼摘目中。云：昔汉高帝战时，用此傅军士金疮，故云斫合子。篱落间藤蔓生，至秋霜子如柳絮，一名薰桑，一名鸡肠。

独自草有大毒。煎傅箭镞，人中之立死。生西南夷中，独茎生。《续汉书》曰：出西夜国，人中之辄死。今西南夷獠中，犹用此药傅箭镞，解之法在《拾遗》石部盐药条中。

金钗股味辛，平，小毒。解诸药毒。人中毒者，煮汁服之，亦生研更烈，必大吐下。如无毒亦吐，去热痰，疟瘴，天行蛊毒，喉闭。生岭南山谷。根如细辛，三四十茎。一名三十根钗子股，岭南人用之。

博落回有大毒。主恶疮瘘根，瘤赘息肉，白癜风，蛊毒，精魅，溪毒。已上疮瘘者和百丈青、鸡桑灰等为末，傅瘘疮，蛊毒，精魅当有别法。生江南山谷，茎叶如蓖麻，茎中空，吹作声。如博落回折之有黄汁，药人立死，不可入口也。

毛建草及子味辛，温，有毒。主恶疮痈肿，疼痛未溃。煎捣叶傅之，不得入疮，令人肉烂。主疟，令病者取一握，微碎缚臂上，男左女右，勿令近肉，便即成疮。子和姜捣破，破冷气。田野间呼为猴蒜。生江东泽畔，叶如芥而大，上有毛，花黄，子如蒺藜。又有建，有毒，生水傍，叶似胡芹。未闻，余功大相似。

数低味甘，温，无毒。主冷风冷气，下宿食不消，胀满。生西蕃，北土亦无有，似茴香，胡人作羹食之。

仰盆味辛，温，有小毒。主蛊，飞尸，喉闭。水磨服少许，亦磨傅皮肤恶肿。生东阳山谷。苗似承露仙，根圆如仰盆，子大如鸡卵。

离鬲草味辛，寒，有小毒。主瘰疬，丹毒，小儿无辜寒热，大腹痞满，痰饮，膈上热。生研，绞汁服一合，当吐出胸膈间宿物。生人家阶庭湿处，高二三寸，苗叶似瞿麦，去疟为上。江东有之，北土无。

卢药味咸，温，无毒。主折伤，内损瘀血，生肤止痛，主产后血病，治五脏，除邪气，补虚损。乳及水煮服之，亦捣碎傅伤折处。生胡国，似干茅，黄赤色。

本草品汇精要卷之十一

本草品汇精要

·卷之十二·

草 部

中品之下

五种	**神农本经** 朱字
七种	**名医别录** 黑字
六种	**唐本先附** 注云唐附
二十二种	**宋本先附** 注云宋附
一种	**今分条**
一十种	**陈藏器余**

已上总五十一种，内一十八种今增图

① 茂：原注"旬律切"。
② 蒳：原作"纳"，据正文药名改。
③ 厘：原注"音离"。
④ 今增图：原注于"茅香花"条下，按《证类本草》"女菀"条无图，而同卷"茅香花"条有图，故原"茅香花"条下"今增图"三字移此。
⑤ 莲：原作"连"，据正文改。

一十种陈藏器余

迷迭香 [①]	故鱼网	故缴脚布
江中采出芦	虱建草	含生草
兔 [②] 肝草	石芒	蚕网草
问荆		

---

① 香：原无，据正文药名补。
② 兔：原作"菟"，据正文药名改。

本草品汇精要卷之十二[①]

草部中品之下

-------- ○ **草之草**

蔻荳肉州廣

肉豆蔻

无毒　丛生

肉豆蔻主鬼气，温中，治积冷，心腹胀痛，霍乱，中恶，冷痓，呕沫冷气，消食止泄，小儿乳霍。名医所录。

---

① 卷之十二：原无，据清本补。

名 迦拘勒。

苗 〔图经曰〕春生苗，花实似豆蔻，其形圆小，皮紫紧薄，中肉辛辣而有油色者为佳。枯白味薄，瘦虚者为下也。

地 〔图经曰〕出胡国，今惟岭南人家种之。〔海药云〕生秦国及昆仑。〔道地〕广州。

时 〔生〕春生苗。〔采〕六月、七月取实。

收 暴干。

用 实。

质 类橡子无壳而皮皱。

色 苍褐。

味 辛。

性 温，散。

气 气之厚者，阳也。

臭 香。

主 止泻痢，开胃消食。

行 手阳明经。

制 〔雷公云〕凡使，须以糯米作粉，使热汤搜裹豆蔻，于灰火中炮，待米团子焦黄熟，然后去米团，取用。

治 〔疗〕〔药性论云〕治小儿吐逆，不下乳，腹痛，宿食不消，痰饮。〔日华子云〕调中下气。〔别录云〕止心腹虫痛，脾胃虚，冷气，并冷热虚泄，赤白痢。

合治 以二颗，用醋调面裹，煨黄焦，和面碾末，合炒楔子末一两，以炒陈米末二钱，煎饮，调下三钱，治脾泄气痢，日二服，瘥。○合生姜汤服，治霍乱吐利①。

禁 多服则泄气，勿令犯铜器。

解 酒毒。

---

① 吐利: 原作"气并"，据清本改。

○ 草之木

补骨脂

无毒　植生

补骨脂主五劳七伤，风虚冷，骨髓伤败，肾冷，精流，及妇人血气，堕胎。名医所录。

名 破故纸、婆固脂、胡韭子、补骨鸱。

苗 〔图经曰〕茎高三四尺，叶似薄荷，花微紫色，实如麻子，圆扁而黑，或云胡韭子也。此物本自外蕃随海舶而来，非中华所有，蕃人呼为补骨鸱，语讹为破故纸也。

地 〔图经曰〕出波斯国，今广南诸州及岭外山坂间。〔道地〕南蕃梧州。

时 〔生〕春生苗。〔采〕九月取实。

用 子。

质 类五味核而扁黑。

色 黑。

味 辛。

性 大温。

气 气之厚者，阳也。

臭 香。

主 固精气，止腰痛。

反 恶甘草。

制 〔雷公云〕凡使，性本大燥毒，用酒浸一宿后漉出，却。用东流水浸三日夜，却，蒸从巳至申，出，日干用。

治 〔疗〕〔药性论云〕治腰膝冷，疼痛囊湿，逐诸冷，顽痹，止小便利，腹中冷。〔日华子云〕治冷劳，明耳目。〔补〕〔日华子云〕兴阳事。

合治 以十两，去皮洗净，为末。用去皮胡桃瓤二十两，细研，入前末内，蜜和，搅如饴，盛瓷器中。旦日以酒调服一匙，治湿伤内外众疾。久服则延年益气，悦心明目，补添筋骨。服后以饭压下。如不饮酒，以汤调服。但禁食芸台、羊血。

○ **草之草**

零陵香

无毒　植生

零陵香主恶气，疰心，腹痛满，下气。令体香，和诸香，作汤丸用之。

名医所录。

名 燕草、薰草、香草、蕙草。

苗〔图经曰〕多生下湿地，叶如罗勒，亦似麻，两两相对，茎方，气如蘼芜，常以七月中旬开花至香，即古所谓薰草是也。其茎叶谓之蕙，其根谓之薰，三月采脱节者良。今江淮间土生者作香，亦可用，但不及湖岭者芬薰尔。

地〔图经曰〕生湖岭诸州，江淮间皆有之。〔海药云〕广南山谷。〔道地〕零陵山谷、蒙州、濠州。

时〔生〕春生苗。〔采〕三月取茎、叶。

收 阴干。

用 茎、叶。

色 青黄。

味 甘。

性 平，缓。

气 气厚于味，阳中之阴。

臭 香。

主 去邪恶，辟秽气。

助 得酒良。

制〔图经曰〕作窑灶，以火炭焙干，令黄色乃佳。

治〔疗〕〔陈藏器云〕明目止泪，疗泄精，去邪恶气，伤寒头痛。

合治 合升麻、细辛煎含，疗风邪冲心，牙车肿痛，疳䘌。○合酒煎服，治血气腹胀。

禁 多服令人气喘。

○ 草之草

缩砂①蜜

无毒　植生

缩砂蜜主虚劳冷泻，
宿食不消，赤白泄痢，
腹中虚痛，下气。名
医所录。

———————————
① 砂: 原作"沙"，据目录改。

苗 〔图经曰〕生南地者，苗似廉姜，形如白豆蔻。其皮紧厚而皱，黄赤色。又云：苗茎似高良姜，高三四尺。叶青，长八九寸，阔半寸许。三月、四月开花在根下，五六月成实，五七十枚作一穗，状似益智，皮紧厚而皱如粟纹，外有刺，黄赤色。皮间细子一团八隔，可四十余粒，如黍米大，微黑色也。

地 〔图经曰〕生南地，今惟岭南山泽间有之。〔药性论云〕出波斯国。〔道地〕新州。

时 〔生〕春生苗。〔采〕七月、八月取实。

收 暴干。

用 实。

质 类白豆蔻，皮紧厚而皱，黄赤色。

色 黑褐。

味 辛。

性 温，散。

气 气之厚者，阳也。

臭 香。

主 快气消食。

行 手、足太阴经、阳明经、太阳经，足少阴经。

助 得诃子、鳖甲、豆蔻、白芜荑良，与白豆蔻为使则入肺，与人参、益智为使则入脾，与黄檗、茯苓为使则入肾，与赤、白石脂为使则入大小肠。

制 去皮土。

治 〔疗〕〔药性论云〕治冷气腹痛，止休息气痢，劳损，消化水谷，温暖脾胃。〔陈藏器云〕主上气咳嗽，奔豚，鬼疰，惊痫，邪气。〔日华子云〕除一切气，霍乱转筋，心腹痛，能起酒香味。

合治 砂仁^①二钱，炒令热透，为末，合热酒调服，治妊娠偶因所触，或坠高伤打，致胎动不安，腹中痛不可忍者，服之须臾，觉腹中胎动处极热，即胎已安。

———————
① 砂仁：此名为本书首见，一般认为其首出《本草原始》（1612），则晚本书107年。

○ 草之草

蓬莪茂

无毒　<u>丛生</u>

蓬莪茂主心腹痛，中恶，痊忤，鬼气，霍乱，冷气，吐酸水，解毒，食饮不消,酒研服之。又疗妇人血气，丈夫奔豚。名医所录。

名 蓬莪、蒁、波杀。

苗〔图经曰〕春生田野，
其茎如钱大，高二三尺。叶青
白色，长一二尺，大五寸以来，
颇类蘘荷。五月有花作穗，黄
色，头微紫，子似干椹，根如
生姜而莪在根下，似鸡鸭卵大
小，不常并生，一好一恶，恶
者有毒。西戎人取时先放羊食，
羊食者用之，羊不食者则弃之。
〔陈藏器云〕黑色者为蓬莪，
黄色者为蒁，味甘有大毒者为
波杀也。

地〔图经曰〕生广南诸州，
今江浙亦有之。〔道地〕西戎。

时〔生〕三月生苗。〔采〕
九月取根。

收 暴干。

用 根坚实者为好。

质 类芋。

色 黑、黄。

味 苦、辛。

性 温，泄、散。

气 气厚味薄，阳中之阴。

温州蓬莪茂

臭 香。

主 破积聚，消瘀血。

助 得酒、醋良。

制 〔图经曰〕削去粗皮，蒸熟，暴干用。此物极坚硬难捣，治用时，热灰火中煨令透熟，乘热入臼中捣之，即碎如粉。〔雷公云〕凡使，于砂盆中用醋磨令尽，然后于火畔吸令干，重筛过用之。

治 〔疗〕〔日华子云〕除一切气，开胃消食，通月经及内损恶血。

合治 合酒、醋磨服，治女子血气心痛，破痃癖，冷气。

○ 草之草

积雪草

无毒　蔓生

积雪草主大热，恶疮，
痈疽，浸淫，赤㿠，
皮肤赤，身热。神农本经。

名 地钱草、连钱草、胡薄荷、海苏。

苗 〔图经曰〕叶圆如钱，茎细而劲，五月开花，蔓延溪涧之侧。荆楚人以叶如钱谓之地钱草。〔衍义曰〕此草今南方多生阴湿地，形如水荇而小，面亦光洁，微尖为异尔。今人亦谓之连钱草，盖取其象也。

地 〔图经曰〕生荆州川谷，及咸阳、临淄、济阳郡湿地、池泽，今处处有之。

时 〔生〕春生苗。〔采〕八月、九月取苗、叶。

收 阴干。

用 苗、叶、花。

质 类水荇光洁而微尖。

色 青。

味 苦。

性 寒，泄。

气 气薄味厚，阴也。

臭 香。

主 热肿，丹毒。

治 〔疗〕〔唐本注云〕除暴热，小儿丹毒，寒热，腹内热结，捣绞汁服。〔药性论云〕治瘰疬，鼠漏，寒热时节来往。〔衍义曰〕治一切热毒，痈疽，捣末，水调傅之。

合治 合盐按贴肿毒并风疹、疥癣。○花，捣末方寸匕，合醋服，疗女子小腹中痛，月经初来，腰中切痛连脊间，如刀锥所刺忍不堪者。

○ 草之草

白前

无毒　植生

白前主胸胁逆气，咳
嗽上气。名医所录。

名 石蓝。

苗 〔图经曰〕苗似细辛而
大，色白，易折。亦有叶似柳，
或似芫花苗者，并高尺许，生
洲渚砂碛之上。根白，长于细辛，
亦似牛膝、白薇辈。今用蔓生者，
味苦，非真也。

地 〔图经曰〕生蜀中，及
淮浙州郡皆有之。〔道地〕越州、
舒州。

时 〔生〕春生苗。〔采〕
二月、八月取根。

收 暴干。

用 根粗脆者为好。

质 类牛膝而白。

色 白。

味 甘。

性 微温，缓。〔蜀本云〕
微寒。

气 气薄味厚，阳中之阴。

主 保肺气，止咳嗽。

助 得温药相佐使为良。

制 〔雷公云〕凡使，先用
生甘草水浸一伏时后漉出，去
头须，焙干，任入药中用。

舒州白前

治〔疗〕〔陶隐居云〕除气嗽。〔唐本注云〕治上气冲喉中，呼吸欲绝者。〔日华子云〕疗奔豚，肾气，肺气，烦闷。

合治 以二两合紫菀①、半夏各三两，大戟七合，水一斗渍一宿，煮取三升，分三服，疗久咳逆上气，体肿短气，胀满不得卧，常作水鸡声者。服此禁食羊肉饧。

---

① 菀：原作"苑"，据印本改。

○ 草之草

荠苨

无毒　植生

荠苨主解百药毒。名医所录。

名 蓝苊。

苗 〔图经曰〕春生，苗茎都似人参而叶小异，根似桔梗但无心为异，润州尤多。人家收以为果菜或作脯啖之，味甚甘美。〔陶隐居云〕绝能杀毒，以其与毒药共处而毒皆自然歇，不正入方家用也。

地 〔图经曰〕生川蜀，江浙皆有之。〔道地〕润州、蜀州。

时 〔生〕春生苗。〔采〕二月、八月取根。

收 暴干。

用 根。

质 类桔梗而无心。

色 黄白。

味 甘。

性 寒，缓。

气 气之薄者，阳中之阴。

臭 腥。

主 热狂，温疾。

治 〔疗〕〔日华子云〕杀蛊毒，蛇虫咬，暗毒箭。〔别录云〕蒸作羹粥食之，利肺气，和中，明目，止痛。捣烂，傅疔肿。

解 煮水服，解误食钩吻叶毒。○汁，解五石毒。

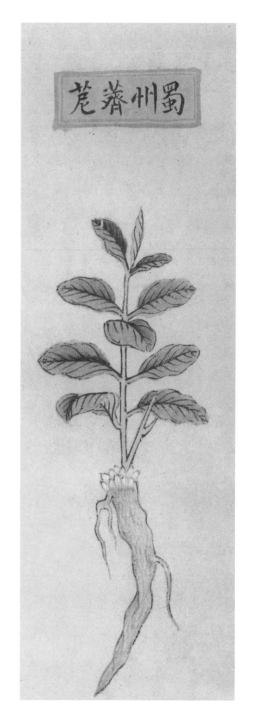

蜀州荠苨

○ 草之草

白药

无毒　蔓生

白药主金疮，生肌。名医所录。

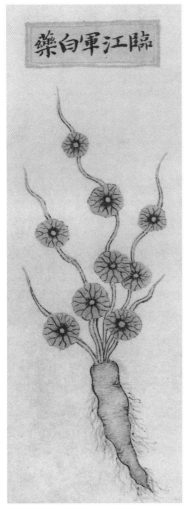

名 白药子、苃蒌①。

苗〔图经曰〕三月生苗，似苦苣，叶四月而赤，茎长似葫芦蔓，六月开白花，八月结子，其根皮黄肉白。江西出者，叶似乌臼，子如绿豆，至八月其子变成赤色。

地〔图经曰〕出原州，今茇州、江西、岭南亦有之。〔道地〕兴元府、临江军、洪州、施州。

① 苃蒌：原注"实名"。

时〔生〕春生苗。〔采〕九月取根。

收 暴干。

用 根。

质 类苉蒌根。

色 皮黄，肉白。

味 辛。

性 温，散。

气 气之厚者，阳也。

臭 朽。

主 消肿毒。

制 洗净，细剉用。

治〔疗〕〔图经曰〕主诸疮痈肿不散。〔唐本注云〕治刀斧折伤，能止血痛。〔药性论云〕治喉中热塞，噎痹不通，胸中隘塞，咽中常痛肿胀。〔日华子云〕消痰止嗽，治渴并吐血喉闭。○苗、茎，消恶疮，疗癣，风瘙。

合治 合野猪尾，洗去粗皮，为末酒服，疗心气痛，解热毒。○末合鸡子清调，摊贴脐下，护妊娠伤寒恐胎动。

解 野葛、生金、巴豆、药毒。

○ 草之木

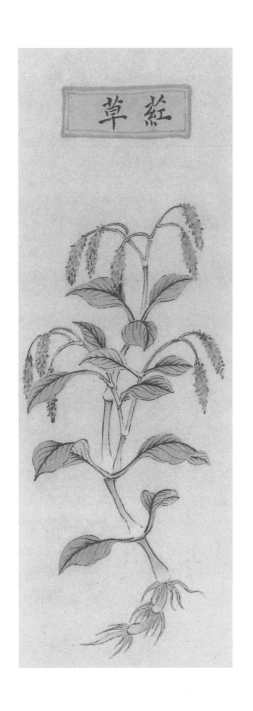

荭草

无毒　植生

荭[1]草主消渴，去热，明目，益气。名医所录。

---

[1]　荭：原注"音红"。

名　鸿䔰①、游龙。

苗　〔图经曰〕此即水红花也，似蓼而叶大，赤白色，高丈余，其枝干樛屈，著土处有根如龙，《诗》所谓隰有游龙是也。陆机云：一名马蓼。《本经》云：似马蓼而大，若然，马蓼自是一种也。

地　〔图经曰〕旧不载所出州土，今生水傍及所在下湿地多有之。

时　〔生〕春生苗。〔采〕五月取实。

收　阴干。

用　茎、实、根。

质　类马蓼而大。

色　红。

味　咸。

性　微寒，软。

气　气薄味厚，阴中之阳。

臭　香。

主　明眼目，消疮毒。

治　〔疗〕〔陶隐居云〕作汤，洗除脚气。〔陈藏器云〕消水气，恶疮肿，作汤洗之。

---

① 䔰：原注"音频"。

○ 草之草

香附子

无毒　丛生

香附子主除胸中热，充皮毛。久服令人益气，长须眉。名医所录。

名 莎草根、薃^①、侯莎、雀头香、缇^②。

苗 〔图经曰〕苗茎叶都似三棱，根如枣许，周匝多毛。交州者最大，为胜；今近道生者，苗叶似薤而瘦。其子若麦门冬，附根而生，如山茱萸大，至秋坚实。因附根生而有香气，故谓之香附子。凡血气药中必用之，能引血药至气分而生血，此阳生阴长之义，乃妇人之仙药也。

地 〔图经曰〕生田野，今处处有之。〔道地〕澧州、交州者最胜。

时 〔生〕春生苗。〔采〕二月、八月取根下子。

收 阴干。

用 根下子。

色 皮黑，肉紫。

味 甘。

性 微寒。

① 薃：原注"音号"。
② 缇：原注"实名"。

气 气之薄者，阳中之阴。

臭 香。

主 散郁快气。

制 〔雷公云〕凡采得后阴干，于石臼中捣碎，去毛，醋煮或童便浸炒黑，能止血。

治 〔疗〕〔唐本注云〕大下气，除胸中热。〔汤液本草云〕治崩漏，又能逐去凝血。

合治 苍术、抚芎，解诸郁。〇香附子一斤，醋浸一日，用瓦铫慢火煮令醋尽，漉出切片，焙干为末，合艾叶末四两，当归末二两，以醋糊丸如梧子大，每服五十丸，淡醋汤下，治妇人经候不调，血气刺痛，腹胁膨胀，头晕恶心，崩漏，带下，便血，癥瘕并宜服之。

忌 铁器。

○ 草之草

水香棱

无毒　<u>丛生</u>

水香棱主丈夫心肺中虚风及客热，膀胱间连胁下时有气妨，皮肤瘙痒，瘾疹，饮食不多，日渐瘦损，常有忧愁，心忪，少气。名医所录。

名 水莎、草附子、地赖根、续根草、莎结、水巴戟、三棱草。

苗 〔图经曰〕苗名香棱，根名莎结，亦名草附子。河南及淮南名水莎，陇西谓之地赖根，蜀郡名续根草，又名水巴戟。今涪都最饶，名三棱草，用茎作鞋履者是也。功状与香附子颇相类，但味差耳。〔谨按〕此种苗叶似莎草，长而有棱，故名三棱草。根若附子，谓之草附子。《图经》以此与香附子功状相类，考之出产不同，实非一种，析之，庶不互用。

地 〔图经曰〕生博平郡池泽中，及河南、淮南、陇西、蜀郡、涪都，今所在皆有之。

时 〔生〕春生苗。〔采〕春取苗及花，入冬取根。

收 阴干。

用 苗及根。

色 苗青，根紫。

味 辛。

性 微寒，涩。

气 气之薄者，阳中之阴。

臭 香。

治 〔疗〕〔图经曰〕苗二十斤剉，以水二石五斗，煮取一石五斗，浴之，令汗出五六度，治肺中风，皮肤瘙痒即止。每载四时常用，则瘾疹风永瘥。

合治 根二斤，切，熬令香，以生绢袋盛贮，于三斗无灰清酒中近暖处浸之，春三月浸一日，冬十月浸七日。每空腹服一盏，日夜三四服之，常令酒气相续。治心中客热，膀胱间连胁下气妨，常日忧愁不乐，兼心忪者。若不饮酒，以根十两，合桂心五两、芜荑三两，和捣为末，蜜丸捣一千杵，丸如梧子大，每空心用酒及姜蜜汤饮汁等下二十丸，日再服，渐加至三十丸，以瘥为度。

○ 草之木

荜澄茄

无毒　植生

荜澄茄主下气消食，皮肤风，心腹间气胀，令人能食，疗鬼气，能染发及香身。名医所录。

名 毗陵茄子。

苗 〔图经曰〕春夏生叶，青滑可爱，结实似梧桐子及蔓荆子而微大。

地 〔图经曰〕生佛誓国。〔道地〕广州。

时 〔生〕春夏生叶。〔采〕八月、九月取实。

用 实。

质 类蔓荆子，有柄而蒂圆。

色 黑。

味 辛。

性 温，散。

气 气之厚者，阳也。

臭 香。

主 胃寒，霍乱，肾气，膀胱冷。

制 〔雷公云〕去柄，酒拌蒸，从巳至酉，出，细杵，任用之。

治 〔疗〕〔日华子云〕治诸气并霍乱，吐泻，腹痛。〔海药云〕主心腹卒痛，痰癖，冷气。

合治 合高良姜各三分为末，每服二钱，水六分煎十余沸，入醋少许搅匀，和滓服之，治伤寒咳逆①，日夜不定者。

————————
① 逆：原作"癔"，据清本改。

胡黄连

无毒　丛生

胡黄连主久痢成疳，伤寒，咳嗽，温疟，骨热,理腰肾,去阴汗，小儿惊痫，寒热不下食，霍乱，下痢。名医所录。

名 割孤露泽。

苗 〔图经曰〕苗若夏枯草，初生似芦，干似杨柳枯枝，根头似乌觜，心黑外黄，折之，肉似鹦鹆眼者，小儿药中多用之。

地 〔图经曰〕生胡国，今南海及秦陇间亦有之。〔唐本云〕出波斯国海畔、陆地。〔道地〕广州。

时 〔生〕春生苗。〔采〕八月上旬取根。又不拘时月取之。

用 根折之，尘出如烟者为真。

质 类宣黄连而粗大。

色 黑黄。

味 苦。

性 平、寒，泄。

气 气薄味厚，阴中之阳。

臭 香。

主 骨蒸，疳热。

反 恶菊花、玄参、白鲜皮。

制 剉碎用。

治 〔疗〕〔唐本注云〕治骨蒸劳热，三消五痔并冷热泄痢，及妇人胎蒸虚惊，大人五心烦热。〔补〕〔唐本注云〕补肝胆，明目，益颜色，厚肠胃。

合治 合人乳汁浸点目甚良。○合柴胡等分为末，蜜丸如鸡头大，每服一二丸，以酒少许，水五分化开，重汤煮二十沸，食后服之，治小儿盗汗，潮热往来。

忌 与猪肉同食，令人漏精。

解 巴豆毒。

○ 草之草

船底苔

无毒　附水中苔　丽生

船底苔治鼻洪,吐血,淋疾,以炙甘草并豉汁浓煎汤,旋呷。又主五淋,取一团鸭子大,煮服之。○水中细苔,主天行病,心闷,捣绞汁服。名医所录。

苗〔谨按〕旧船之底，浸渍日久，得水土之气，积袭而生也。

时〔生〕无时。〔采〕无时。

收 阴干。

用 苔。

色 青绿。

味 淡。

性 冷，泄。

气 气之薄者，阳中之阴。

主 诸淋。

治〔疗〕〔别录云〕治乳石发动，小便淋涩不通，心神闷乱者，以船底苔如半鸡子大，以水一盏煎至五分，去滓，温服，日三四服。○水中苔，治小儿赤游行于体上下，至心即死，捣末傅之，良。

○ 草之草

红豆蔻

无毒　丛生

红豆蔻主肠虚水泻，心腹搅痛，霍乱，呕吐酸水，解酒毒。名医所录。

苗 〔图经曰〕其苗如芦，高一二尺，叶似姜，花作穗。嫩叶卷而生，微带红色。其结实如豆而红，即高良姜子也。

地 〔图经曰〕出南海诸国。

时 〔生〕春生苗。〔采〕秋取实。

收 暴干。

用 实。

质 类益智而赤小。

色 红。

味 辛。

性 温，散。

气 气之厚者，阳也。

臭 香。

主 冷气腹痛。

治 〔疗〕〔药性论云〕消瘴雾气毒，去宿食，温腹肠，吐泻痢疾。

禁 多服令人舌粗，不思饮食。

解 酒毒。

○ 草之草

莳萝

无毒　丛生

莳萝主小儿气胀，霍乱，呕逆，腹冷，食不下，两肋痞满。名医所录。

名　慈谋勒。

苗　〔图经曰〕三月、四月生苗，花实大类蛇床而香辛。今人多以和五味，不闻入药用。善滋食味，多食无损，若与阿魏同合，夺其味耳。

地　〔图经曰〕出佛誓国，今岭南及近道皆有之。

时　〔生〕春生苗。〔采〕六月、七月取实。

收　暴干。

用　实。

质　类马芹子而轻。

色　青褐。

味　辛。

性　温，散。

气　气之厚者，阳也。

臭　香。

主　健脾，开胃气。

制　水洗，微炒用。

治　〔疗〕〔日华子云〕温肠，治肾气。〔别录云〕治膈气，消食温胃。〔补〕〔日华子云〕益水脏，壮筋骨。

解　杀鱼、肉毒。

○ 草之草

艾蒳香

无毒　丽生

艾蒳香去恶气，杀虫，主腹冷，泄痢。名医所录。

地〔广志云〕出西国及剽国，似细艾。又有松树皮绿衣，亦名艾蒳，可以和合诸香，烧之能聚，其烟青白不散，而与此不同也。

时〔生〕无时。〔采〕无时。

收 阴干。

用 绿衣。

质 类青苔。

色 青。

味 甘。

性 温。

气 气之厚者，阳也。

臭 香。

主 辟瘟疫，去恶气。

治〔疗〕〔陈藏器云〕除癣，辟蛀。〔别录云〕治伤寒，五泄，心腹注气，下寸白虫，止肠鸣。

合治 合螫窠，浴脚气，甚良。

○ 草之草

甘松香

无毒　丛生

甘松香主恶气卒心，
腹痛满，兼用合诸香。

名医所录。

苗〔图经曰〕丛生，叶细如茅草，根极繁密，作汤浴，令人体香。

地〔图经曰〕出姑臧山野，今黔、蜀州郡及辽州亦有之。〔别录云〕出源州、凉州。〔道地〕文州。

时〔生〕春生苗。〔采〕八月取根茎。

收 暴干。

用 根茎。

质 类茅草而繁密。

色 紫黑。

味 甘。

性 温，缓。

气 气之厚者，阳也。

臭 香。

主 消胀下气。

助 得白芷、附子良。

制 水洗，去土。

治〔疗〕〔日华子云〕治腹胀下气。〔广志云〕去黑皮，皯䵟，风疮，齿䘌，野鸡痔。

○ 草之草

垣衣

无毒　附地衣　丽生

垣衣主黄疸，心烦，咳逆，血气，暴热在肠胃，金疮内塞。久服补中益气，长肌，好颜色。名医所录。

名 垣赢、天韭、鼠韭。

苗 〔图经曰〕垣衣生古垣墙背阴处，青苔衣是也。其石上生者名昔邪，屋上生者名屋游。形疗略同，已具下品。又地衣，冷，微毒，即阴地苔藓日晒起者也。

时 〔生〕无时。〔采〕三月三日。

收 阴干。

用 苔。

质 类土马鬃。

色 青绿。

味 酸。

性 微寒，收。

气 味厚于气，阴也。

臭 腥。

主 暴风口噤。

制 洗去土。

治 合生油调，傅马反花疮。○地衣，合人垢腻为丸，服七粒，治卒心痛，中恶。

○ 草之草

陟釐

无毒　丽生

陟釐主心腹大寒，温中消谷，强胃气，止泄痢。名医所录。

名 石发。

苗〔图经曰〕陟釐即石发也，生于水中石上，如毛而青黄，似苔而粗涩。古人取以作纸，谓之苔纸；作脯，谓之苔脯，盖可啖也。〔别录云〕生于水石上者，名陟釐；浮于水中者乃苔尔。二物俱产水中，然水苔性冷，陟釐甘温为异也。

地〔图经曰〕生江南池泽。

时〔生〕春生。〔采〕无时。

收 阴干。

用 苔，水中石上者为好。

质 类水苔而粗涩。

色 青黄。

味 甘。

性 大温。

气 气之厚者，阳也。

臭 腥。

主 益胃厚肠。

治〔疗〕〔图经曰〕治虚冷下痢。〔衍义曰〕止渴疾。

忌 食盐。

○ 草之草

干苔

无毒　水生

干苔主痔，杀虫及霍乱，呕吐不止，煮汁服之。又心腹烦闷者，冷水研如泥，饮之即止。又发诸疮疥，下一切丹石。杀木蠹虫，内木孔中。但是海族之流，皆下丹石。名医所录。

地　生海中。

时　〔生〕春生。〔采〕无时。

收　日干。

用　苔。

色　绿。

味　咸。

性　寒。又云：温。

气　味厚于气，阴也。

臭　腥。

禁　多食，令人痿黄，少血色。

解　诸药毒。

凫葵

无毒　水生

凫葵主消渴，去热淋，利小便。名医所录。

名 接余、莕^①菜。〔叶〕荇。

苗〔图经曰〕此即莕菜也。生水中，叶圆似莼而在茎端，花黄色，极繁盛。其根长短，随水深浅。《诗》所谓参差荇菜是也。陆机云：茎白，叶紫赤色，圆径寸余，浮在水面，根在水底，大如钗股，上青下白。江东人食之，医方鲜用。

地〔图经曰〕生水中，今处处池泽中皆有之。

时〔生〕春生苗。〔采〕无时。

收 暴干。

用 茎、叶。

质 类蘋而圆。

色 茎白，叶紫赤。

味 甘。

性 冷，缓。

气 气之薄者，阳中之阴。

臭 腥。

主 诸淋。

制 水洗，剉碎用。

治〔疗〕〔别录云〕捣汁服之，除寒热。

解 蛊毒、毒药。

① 莕：原注"音荇"。

○ 草之草

女菀

无毒　丛生

女菀出神农本经。主风
寒洗洗，霍乱，泄痢，
肠鸣上下无常处，惊
痫，寒热百疾。以上朱
字神农本经。**疗肺伤，
咳逆出汗，久寒在膀
胱，支满，饮酒夜食
发病。**以上黑字名医所录。

名 白菀、织女菀、茆①。

苗 〔唐本注云〕此即白菀也，苗叶与紫菀相类，但根白尔。
其疗体并同，无紫菀时亦可通用也。

地 〔别录云〕生汉中川谷或山阳。

时 〔生〕春生苗。〔采〕正月、二月取根。

收 阴干。

用 根。

质 类细辛而白。

色 白。

味 辛。

性 温，散。

气 气之厚者，阳也。

臭 香。

主 咳嗽。

反 畏卤碱。

————————
① 茆：原注"音柳"。

○ 草之草

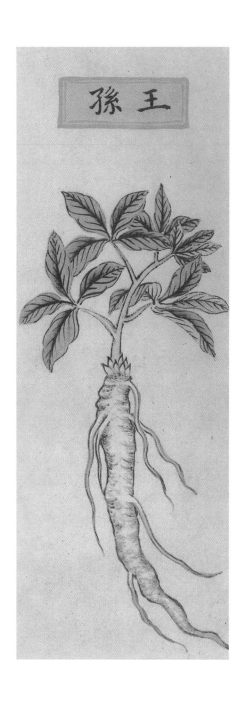

王孙

无毒　植生

王孙出神农本经。主五
脏邪气，寒湿痹，四
肢疼酸，膝冷痛。以
上朱字神农本经。疗百病，
益气。以上黑字名医所录。

名 长孙、黄孙、黄昏、白功草、海孙、蔓延、牡蒙。

苗 〔蜀本注云〕叶似及己而大，根长尺余，皮肉亦紫色。
〔唐本注云〕《小品》述《本草》牡蒙，一名王孙。《药对》有
牡蒙无王孙，此则一物明矣。

地 〔图经云〕生海西川谷及汝南城廓^①垣下。

时 〔生〕春生苗。〔采〕秋取根。

收 暴干。

用 根。

质 类及己。

色 紫。

味 苦。

性 平，泄。

气 味厚于气，阴也。

主 金疮，止痛。

治 〔疗〕〔唐本注云〕疗金疮，破血，生肌，止痛，赤白痢，
除脚肿，发阴阳也。〔补〕〔唐本注云〕益气，补虚。

_____

① 廓：原作"郭"，据《证类本草》改。

土马鬃

无毒　丽生

土马鬃治骨热，败烦，
热毒壅，衄鼻。名医所录。

地〔图经曰〕生于背阴，古墙垣上有之，岁多雨则茂盛。世人以为垣衣，非也。垣衣生垣墙之侧，此物生垣墙之上，比垣衣更长。大抵苔之类也。以其所附不同，故立名与主疗亦异。在屋则谓之屋游、瓦苔；在墙垣则谓之垣衣、土马鬃；在地则谓之地衣；在井则谓之井苔；在水中石上则谓之陟釐。土马鬃近世常用而诸书未著，故附新定条焉。

时〔生〕春生。〔采〕无时。

收 阴干。

用 苔，墙垣上者佳。

质 类垣衣而长。

色 绿。

味 酸。

性 寒。

气 气薄味厚，阴也。

臭 腥。

○ 草之草

蜀羊泉

无毒　植生

蜀羊泉出神农本经。主
头秃，恶疮，热气，
疥瘙痂癣虫，疗龋齿。
以上朱字神农本经。女子
阴中内伤，皮间实积。
以上黑字名医所录。

名 羊泉、羊饴、漆姑。

苗 〔唐本注云〕叶似菊花，紫色，子类枸杞子，根如远志，无心有糁。方药不复用，彼土人时有采识者。

地 〔图经曰〕生蜀郡川谷。〔唐本注云〕处处阴湿地皆有之。

时 〔生〕无时。〔采〕三月、四月取苗。

收 阴干。

用 苗、叶。

色 青。

味 苦。

性 微寒，泄。

气 味厚于气，阴也。

主 漆疮。

制 剉碎用。

治 〔疗〕〔唐本注云〕主小儿惊，生毛发。

○ 草之木

菟葵

无毒　植生

菟葵主下诸石，五淋，
止虎、蛇毒。名医所录。

名 蓲。

苗 〔图经曰〕似葵而叶小，状若藜有毛。汋^①而啖之，甚滑。《尔雅》所谓蓲，菟葵是也。〔唐本注云〕苗如石龙芮，叶光泽，花白似梅，茎紫色。〔衍义曰〕绿叶如黄蜀葵，花似拒霜，甚雅，形如至小者。初开单叶，蜀葵有檀心，色如牡丹，姚黄蕊则蜀葵也。唐刘梦得云：菟葵燕麦领春风者，此也。

地 〔尔雅云〕所在平泽及田间皆有之。

时 〔生〕春生苗。〔采〕六月、七月取茎、叶。

收 暴干。

用 茎、叶。

质 类石龙芮。

色 叶绿，茎紫。

味 甘。

性 寒，缓。

气 气之薄者，阳中之阴。

主 淋沥，热结。

治 〔疗〕〔别录云〕治蛇、虎毒，诸疮，捣汁饮之。及涂疮，能解毒，止痛。

---

① 汋：原注"食角切，煮也"。

○ 草之草

薢草

无毒　植生

薢草主暴热喘息，小
儿丹肿。名医所录。

名 蔛荣。

苗 〔唐本注云〕叶圆似泽泻而小，花青白。亦堪啖，江南人用蒸鱼，食之甚美。

地 〔图经曰〕生水傍，所在有之。

时 〔生〕春生苗。〔采〕五月、六月取茎、叶。

收 暴干。

用 茎、叶。

质 叶类泽泻而小。

色 青。

味 甘。

性 寒，缓。

气 气之薄者，阳中之阴。

主 热毒。

制 剉碎用。

鳢肠

无毒　植生

鳢肠主血痢，针灸疮
发，洪血不可止者，
傅之立已。汁，涂发眉，
生速而繁。名医所录。

名 莲子草、旱莲子、金陵草。

苗〔图经曰〕叶似柳而光泽，茎似马齿苋，高一二尺，花细而白，其实若小莲房。苏恭云：以其苗似旋覆[①]者是也。一种苗梗枯瘦，颇似莲花而黄色，实亦作房而圆，摘其苗皆有汁出，须臾即黑，故取此以乌髭发也。

地〔图经曰〕生下湿地，及在坑渠间亦有之，南方尤多。〔道地〕滁州。

时〔生〕春生苗。〔采〕三月、八月取茎、叶。

收 阴干。

用 茎、叶。

质 类旋覆。

色 青。

味 甘、酸。

性 平，缓。

气 气之薄者，阳中之阴。

臭 朽。

---

① 覆：原作“复”，据清本改。

主 乌髭发，排脓，止血。

制 〔孙真人云〕拣择无泥土者，不宜水洗，剉碎用。

治 〔疗〕〔日华子云〕通小肠，长须发，傅一切疮并蚕瘑。
〔萧炳云〕作膏点鼻中，添脑。

○ 草之草

爵床

无毒　丛生

爵床主腰脊痛，不得
着床，俯仰艰难。除热，
可作浴汤。神农本经。

名 香苏、赤眼。

苗 〔唐本注云〕此草似香茅，叶长而大，或如荏且细。

地 〔图经曰〕生汉中川谷及平泽，熟田道傍有之。

时 〔生〕春生苗。〔采〕无时。

收 阴干。

用 茎、叶。

质 类香茅。

色 青。

味 咸。

性 寒，软。

气 味厚于气，阴也。

臭 朽。

主 血胀，下气。

制 剉碎用。

治 〔疗〕〔唐本注云〕汁，涂杖疮，立瘥。

○ 草之草

井中苔萍

无毒　附蓝　丽生

井中苔及萍主漆疮，
热疮，水肿。井中蓝，
杀野葛、巴豆诸毒。
名医所录。

苗〔陶隐居云〕废井中多生苔、萍，及砖土间生杂草，菜蓝在井中者弥佳。

时〔生〕春生。〔采〕不拘时取。

收 阴干。

用 苔。

色 绿。

味 苦。

性 大寒，泄。

气 味厚于气，阴也。

○ 草之草

茅香花

无毒　附白茅香花　<u>丛生</u>

茅香花主中恶，温胃，止呕吐，疗心腹冷痛。苗叶可煮作浴汤，辟邪气，令人身香。名医所录。

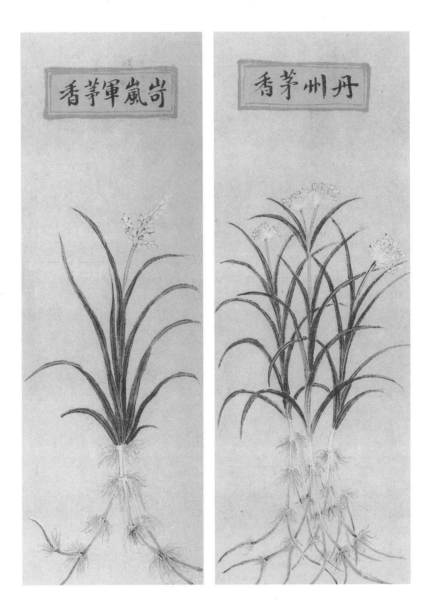

苗〔图经曰〕苗似大麦，五月开白花，亦有黄花者。或有结实者，亦有无实者。其茎、叶黑褐色而花白者，名曰茅香，即非白茅香也。又有一种白茅香，味甘、平，无毒，生安南，如茅根。〔衍义曰〕茅香花白，根如茅，但明洁而长，皆可作汤浴也。

地〔图经曰〕生剑南道诸州，今陕西、河东、京东州郡亦有之。〔道地〕丹州、岢岚军、淄州。

时〔生〕三月生苗。〔采〕正二月取根，五月取花，八月取茎。

收 暴干。

用 花及根。

质 花似芦花而轻软，根如茅根而洁白。

色 白。

味 苦。

性 温、泄。

气 气厚于味，阳中之阴。

臭 香。

主 辟恶，止血。

治〔疗〕〔日华子云〕白茅香花，塞鼻洪，傅久不合灸疮，署刀箭疮，止血并痛。煎服止吐血、鼻衄。〔陈藏器云〕白茅香，主恶气，令人身香美。煮服，止腹内冷痛。〔别录云〕白茅根煮汁饮之，治热淋疾，良。

合治 白茅根烧末，合脂膏涂诸竹木刺在肉中不出，亦治因风致肿。

○ 草之草

马兰

无毒 附山兰 植生

马兰主破宿血，养新
血，合金疮，断血痢，
蛊毒，解酒疸，止鼻
衄、吐血，及诸菌毒。
生捣，傅蛇咬人。山
兰亦大破血。名医所录。

名 紫菊。

苗 〔图经曰〕如泽兰气臭，《楚词》以恶草喻恶人。北人见其花呼为紫菊，以其花似菊而紫也。又山兰，生山侧，似刘寄奴，叶无桠，不对生，花心微黄赤，亦大破血，俚人多用之。

地 〔图经曰〕生水泽傍。

时 〔生〕春生苗。〔采〕夏秋取。

收 阴干。

用 茎、叶。

质 类泽兰。

色 花紫，叶绿。

味 辛。

性 平，散。

气 气之薄者，阳中之阴。

臭 臭。

主 调血解毒。

○ 草之走

使君子

无毒　蔓生

使君子主小儿五疳，小便白浊，杀虫，疗泻痢。名医所录。

苗〔图经曰〕茎作藤如手指，其叶青，如两指头，长二寸。三月生花，淡红色，久乃深红，有五瓣。七八月结子，如拇指长，寸许大，类栀子，亦似诃梨勒而轻，有五棱，其壳紫黑色，内有仁白色。俗传始因潘州郭使君，疗小儿多是独用此物，后来医家因号为使君子也。

地〔图经曰〕生交、广等州，今岭南州郡山野中及水岸皆有之。〔道地〕眉州。

时〔生〕春生苗。〔采〕七八月取实。

收 暴干。

用 仁。

质 类诃梨勒而轻。

色 紫黑。

味 甘。

性 温，缓。

气 气之厚者，阳也。

臭 香。

主 消疳，杀虫。

○ 草之草

百脉根

无毒　植生

百脉根主下气，止渴，
去热，除虚劳，补不足。

名医所录。

苗 〔唐本注云〕叶似苜蓿，花黄，根如远志。

地 〔图经曰〕出萧州、巴西。

时 〔生〕春生苗。〔采〕二月、八月取根。

收 日干。

用 根。

质 类远志。

色 黄。

味 甘、苦。

性 微寒。

气 气之薄者，阳中之阴。

臭 朽。

主 降气，除热。

制 酒浸，或水煮用。

白豆蔻

无毒　植生

白豆蔻主积冷气，止吐逆,反胃,消谷下气。

名医所录。

名 多骨。

苗 〔图经曰〕形如芭蕉，叶似杜若，长八九尺而光滑。冬夏不凋，花浅黄色，子作朵如葡萄。其子初出微青，熟则变白。

地 〔图经曰〕出伽古罗国，今广州、宜州亦有之，不及蕃舶者佳。

时 〔生〕春生苗。〔采〕七月取实。

收 暴干。

用 实。

质 类缩砂蜜，碧而辛香。

色 皮白，仁碧。

味 辛。

性 大温，散。

气 气厚味薄，阳也。

臭 香。

主 诸气，胃冷。

行 手太阴经。

制 去壳。

治 〔疗〕〔东垣云〕破肺中滞气，退目中云气，散胸中冷气，补上焦元气。

合治 合好酒调末服，疗胃气冷，吃食即欲吐。

○ 草之草

地笋

无毒　丛生

地笋利九窍，通血脉，排脓，治血，止鼻洪，吐血，产后心腹痛，一切血病，肥白人。产妇可作蔬菜食，甚佳。名医所录。

苗　〔图经曰〕地笋乃泽兰根也。苗高二三尺，茎干青紫色，作四棱。叶生相对，如薄荷叶而有毛。七月开花，紫白色。其根紫黑，如粟根。南人采其嫩而有节者淹作菹，亦美。

地　〔图经曰〕生汝南诸大泽傍及下湿地，今荆、随、寿、蜀州，河中府皆有之。〔道地〕徐州、梧州。

时　〔生〕二月生苗。〔采〕八月取根。

收　暴干。

用　根。

质　类粟根。

色　紫黑。

味　甘。

性　温。

气　气厚于味，阳中之阴。

○ 草之草

海带

无毒　丽生

海带催生，治妇人，及疗风，亦可作下水药。名医所录。

苗 〔图经曰〕比海藻更粗，柔韧而长。今登州人取干之，可以苴，束器物者是也。

地 〔图经曰〕生东海水中石上。

时 〔生〕无时。〔采〕无时。

收 暴干。

质 类海藻粗而长。

色 黑。

味 苦、咸。

性 寒，泄。

气 气薄味厚，阴也。

陀得花

陀得花主一切风血，浸酒服。名医所录。

名 三勒浆。

苗 〔图经曰〕胡人采此花以酿酒，呼为三勒浆。

地 〔图经曰〕生西国。

用 花。

味 甘。

性 温，缓。

气 气之厚者，阳也。

○ 草之草

翦草

无毒　植生

翦草治恶疮，疥癣，风瘙。名医所录。

名 〔根〕白药。

苗 〔陈藏器云〕叶如茗而细，黑色，生山泽间。今疮家多用之。

地 〔图经曰〕生润州、台州。〔道地〕婺州。

时 〔生〕春生苗。〔采〕二月、三月取。

收 暴干。

用 茎、叶。

质 类茜草，亦如细辛。

色 黑。

味 苦。

性 平、凉，泄。

气 气之薄者，阳中之阴。

臭 香。

主 虫疮，疥癣。

制 九蒸九暴。

治 〔疗〕〔图经曰〕诸疮，疥痂，瘘蚀及牛马诸疮，并治之。

合治 以一斤净洗为末，合生蜜二斤，和为膏。用瓷器盛之，九蒸九暴，令病人五更起，面东用匙抄药如粥服之。每服四两，以稀粟米饮压之。粥饮不可太热，或吐或下，皆不妨疗。久病肺损咯血，一服愈。寻常咳嗽，血妄行，每服一匙可也。

忌 犯铁器。

一十种陈藏器余

迷迭香味辛，温，无毒。主恶气，令人衣香，烧之去鬼。《魏略》云：出大秦国。《广志》云：出西海。《海药》云味平，不治疾，烧之祛鬼气。合羌活为丸散，夜烧之，辟蚊蚋，此外别无用矣。

故鱼网主鲠，以网覆鲠者颈，瘥。如煮汁饮之，骨当下矣。

故缴脚布无毒。主天行劳复，马鬐风黑汗，洗汁饮。带垢者佳。

江中采出芦[①]令夫妇和同，用之有法。此江中出波芦也。

虱建草味苦，无毒。去虮虱，挼取汁，沐头尽死。人有误吞虱成病者，捣绞汁服一小合。亦主诸虫疮。生山足湿地。茎叶似山丹，微赤，高一二尺。又有水竹，叶如竹叶而短小，生水中，亦云去虱。人取水竹叶生食。

含生草主妇人难产，口中含之，立瘥。亦咽其汁。叶如卷柏而大，生靺羯国。其叶煮之不热，无毒。

兔肝草味甘，平，无毒。主金疮，止血，生肉，解丹石发热。初生细软，似兔肝。一名鸡肝，与繁蒌同名。

石芒味甘，平，无毒。主人畜为虎、狼等伤，恐毒

---

① 江中采出芦：此后原衍"芦"一字，据目录药名删。

入肉者，取茎杂葛根，浓煮服之，亦取汁。生高山，如芒，节短，江西人呼为折草。六月、七月生穗如荻也。

蚕网[①]草味辛，平，无毒。主蚕及诸虫。如蚕类咬人，恐毒入腹，煮汁服之。生捣，傅疮。生[②]湿地。如蓼大，茎赤，花白。东土亦有之。

问荆味苦，平，无毒。主结气，瘤痛，上气气急，煮服之。生伊洛间洲渚。苗似木贼，节节相接，亦名接续草。

本草品汇精要卷之十二

---

① 网：原作"罔"，据目录及卷十五"五毒草"条改。

② 生：原脱，据清本补。

本草品汇精要

·卷之十三·

草　　部
下品之上

已上总六十一②种，内八种今增图

---

① 四：原作"二"，脱"两头尖""佛耳草"二条，据总目改。

② 六十一：原作"五十九"，据"今补"增二。

附子　　　　　　　乌头 射罔、乌喙附　　　天雄

侧子　　　　　　　半夏　　　　　　　虎掌

由跋 今增图①　　　鸢尾 今增图②　　　大黄

葶苈　　　　　　　桔梗　　　　　　　茛③菪④子

草蒿 子附　　　　　旋覆花　　　　　　藜芦

钩吻 今增图　　　　射⑤干　　　　　　蛇含

常山 今增图　　　　蜀漆　　　　　　　甘遂 草甘遂附

白蔹 赤蔹附　　　　青葙子　　　　　　雚⑥菌⑦ 今增图

白及　　　　　　　大戟　　　　　　　泽漆

茵芋　　　　　　　赭⑧魁 今增图　　　贯众 花附

莞⑨花 今增图　　　牙子　　　　　　　及己 今增图

羊踯躅　　　　　　藿香 宋附，自木部今移　何首乌 宋附

商陆 章柳根也　　　威灵仙 宋附　　　　牵牛子

---

① 今增图：原脱，据《证类本草》"由跋"条无图，因据补，与今增图数合。
② 今增图：原脱，据《证类本草》"鸢尾"条无图，因据补，与今增图数合。
③ 茛：原注"音浪"。
④ 菪：原注"音荡"。
⑤ 射：原注"音夜"。
⑥ 雚：原注"音桓"。
⑦ 菌：原注"音郡"。
⑧ 赭：原注"音者"。
⑨ 莞：原注"音饶"。

蓖 ^① 麻子_{叶附，唐附}　　　天南星_{宋附}　　　三赖_{今补}

八角茴香_{今补}　　　两头尖_{今补} ^②　　　佛耳草_{今补} ^③

三种海药余

瓶香　　　　　　　钗子股　　　　　　宜南草

一十三种陈藏器余

狼把草　　　　　　藕车香　　　　　　朝生暮落花

冲洞根　　　　　　井口边草　　　　　豚耳草

灯花末　　　　　　千金鑞草　　　　　断罐草

百草灰　　　　　　产死妇人冢上草　　孝子衫襟灰

灵床下鞋履 ^④

———————

① 蓖：原注"音卑"。

② 两头尖今补：原脱，据总目补。

③ 佛耳草今补：原脱，据总目补。

④ 鞋履：原倒，据正文药名乙转。

本草品汇精要卷之十三

草部下品之上

○ 草之草

附子

有大毒　植生

附子出神农本经。主风寒咳逆，邪气，温中，金疮，破癥坚，积聚，血痕，寒湿踒[1]躄，拘挛，膝痛，不能行步。以上朱字神农本经。脚疼冷弱，腰脊风寒，心腹冷痛，霍乱，转筋，下痢赤白，坚肌骨，强阴，为百药长。以上黑字名医所录。

----

① 踒：原注"乌卧切"。

苗〔图经曰〕苗高三四尺，茎方中空，叶厚，四四对生，与蒿相似。花碧，子黑如椹，即乌头根旁散生圆大如芋者也。其种出龙州，种之之法：冬至前先肥腴陆田，耕五七遍，以猪粪粪之。然后布种，逐月耘耔。至次年八月后方成。〔衍义曰〕乌头、乌喙、天雄、附子、侧子，凡五等皆一物也。止依大小、长短、似像而名之。后世补虚寒则须用附子，仍取其端平而圆大及半两以上者，其力全。风家多用天雄，亦取其大者，以其尖角多热性不肯就下，故取傅散也。用乌头、附子之大略如此，余三等各量其材而用之。

地〔图经曰〕生犍为山谷及广汉，龙州、绵州彰明县种之，惟赤水一乡者最佳。〔道地〕梓州、蜀中。

时〔生〕春生苗。〔采〕冬月取根。

收 阴干。

用 根。

质 类乌头而圆大。

色 皮黑，肉白。

味 辛、甘。

性 温，一云大热，散。

气 气之厚者，阳中之阳。

臭 朽。

主 除六腑之沉寒，补三阴之厥逆。

行 手少阳经。三焦命门之剂，通行诸经引用。

助 地胆为之使。

反 畏防风、黑豆、甘草、黄芪、人参、乌韭，恶蜈蚣。

制 〔雷公云〕凡修事，每十两于柳木文武灰火中炮令皱拆者去之，用刀刮去^①上孕子，并去底尖，细劈破。于屋下午地上掘一坑，可深一尺，安于中一宿，至明取出。若阴制即去尖皮，底薄切，用东流水并黑豆浸五日夜，漉出晒干，一用纸裹数层，以盐水蘸透，灰火中炮；一用童便浸炮，俱去皮脐，剉碎用。

治 〔疗〕〔汤液本草云〕治脾湿肾寒。〔别录云〕治卒忤停尸不能言，口噤不开，生附子为末，置管中吹内舌下，或吹喉中，瘥。○疗暴眼赤肿，碜痛不得开，又泪出不止，削附子赤皮如蚕屎，着眦中定为度。

合治 去皮，炮令拆，以蜜涂炙，令蜜入内，含之勿咽，其汁疗喉痹，效。○为末，合醋和涂疗疮肿甚者，干即再涂。○以一

———————

① 去：原脱，据印本补。

枚重半两者，二枚亦得，炮过，合酒渍，春冬五日、夏秋三日，
每服二钱，日再服，疗大风，冷痰癖，胀满，诸痹等病，以瘥为度。
○以大者一个，合生姜一片细剉，煮研如面糊，米饮下，疗呕逆翻胃。
○生末，合醋及面，调傅男左女右脚心，日再换，疗大人久患口疮。
○以一枚去皮脐，分作八片，入盐一钱，水一升，煎半升，温服，
治热病吐下水及下利，身冷，脉微，发躁不止。○黑附子一个去皮脐，
生捣为末，用生姜汁调如膏，傅脚气连腿肿满久不瘥者，干则再
涂，以消为度。○一枚重七钱者，炮去皮脐，为末，每服四钱，
水两盏合盐半钱，煎取一盏，温服，疗霍乱大泻不止。○附子一枚，
酢渍三宿，令润，微削一头，内耳中，上灸十四壮，令气通耳内，
疗耳聋，风牙关急不得开者，瘥。○一枚烧存性，为末，作一服，
合蜜水调下，治伤寒阴盛隔阳，其人必躁热而不欲饮水者，服此
逼散寒气，然后热气上行，汗出乃愈。○附子炮，石膏煅，各等
分为末，入脑、麝少许，茶酒任下半钱，治头痛。○生附子一个
去皮脐，合绿豆一合，同入铫内煮，豆熟为度，去附子，止服绿
豆，疗头风。每个附子可煮五服，后为末服之。○用一个可半两者，
立劈作四片，生姜一大块亦立劈作三片，如中指长，合糯米一撮，
以水一升，煎取六合，去滓服，治阴毒伤寒，烦躁迷闷，不醒人事，
急者如人体温，顿服，厚衣覆，或汗出，或不出，候心神定即服
别药。

　　禁 妊娠不可服。

○ 草之草

乌头

有大毒　植生

乌头出神农本经。主中风，恶风，洗洗出汗，除寒湿痹，咳逆上气，破积聚寒热。其汁煎之，名射罔，杀禽兽。以上朱字神农本经。乌头，消胸上痰，冷食不下，心腹冷疾，脐间痛，肩胛痛，不可俯仰，目中痛，不可久视，又堕胎。○射罔，味苦，有大毒，疗尸疰，癥坚及头中风痹痛。○乌喙[1]，味辛，微温，有大毒，主风湿，丈夫肾湿阴囊痒，寒热历节，掣引腰痛，不能行步，痈肿脓结，又堕胎。以上黑字名医所录。

---

[1]　喙：原注"音讳"。

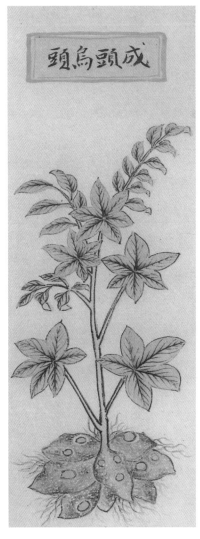

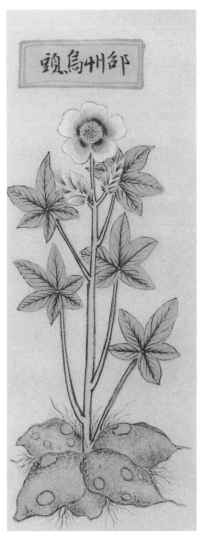

名 芨、堇草、千秋、毒公、茛、果负、耿子、奚毒。

苗 〔图经曰〕苗高三四尺，茎作四棱，叶如艾，花紫碧色，作穗，实小，紫黑色，如桑椹。盖乌头、附子、乌喙、天雄、侧子五物同种而异名，似乌鸟头者为乌头。又云：原种者为乌头，两歧状如牛角者为乌喙，细长至三四寸者为天雄，散生如芋者为附子，旁连生小者为侧子也。〔日华子云〕生去皮，捣滤汁，澄

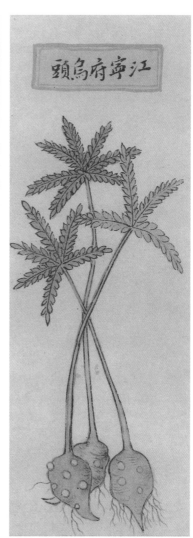

清旋添，晒干取膏，猎人蘸箭镝以射禽兽，谓之射冈，中人亦死，
宜速解之。

　　地〔图经曰〕出朗陵山谷，及龙州、绵州彰明县皆有之。
〔道地〕出蜀土及赤水、邵州、成州、晋州、梓州、江宁府者佳。

　　时〔生〕春生苗。〔采〕三月取根。

　　收 晒干。

用 根。

质 类附子而尖小。

色 皮黑，肉白。

味 辛、甘。

性 温，又云大热。

气 气之厚者，阳中之阳。

臭 朽。

主 除寒湿，散冷疾。

行 诸经。

助 莽草、远志为之使。

反 半夏、栝楼、贝母、白蔹、白及，恶藜芦。

制 凡用，炮裂去皮脐，切片。

治 〔疗〕〔药性论云〕除恶风憎寒，湿痹逆气，冷痰包心，肠腹疠痛，痃癖气块，齿痛。○乌喙，治男子肾气衰弱，阴汗及风温湿邪痛并寒热。〔陈藏器云〕射罔，主瘘疮，疮根结核，瘰疬，毒肿及蛇咬，先取药涂四畔，渐渐近疮，习习逐病。至骨疮有熟脓及黄水出，涂之。若无脓水，有生血及新伤肉破，即不可涂，立杀人。亦如杀走兽，傅箭镞射之，

龙州乌头

十步即倒。〔别录云〕久患疥癣，以七枚生捣碎，用水三大盏煎一大盏，去滓，温洗之。○耳鸣如流水声，并风声久不愈，渐聋者，用新掘得乌头，承湿削如枣核大，塞耳内，昼夜更易，不过三日愈。○射罔，傅沙虱毒。〔补〕〔药性论云〕益阳事，强志。

合治　生者去皮脐，捣末，合酽醋调涂于故帛上，贴患风腰脚冷痹疼痛，须臾痛止。○腊月取一升，炒令黄，作末，绢袋盛合酒三升浸，温服，疗头风头痛。○以一斤用五升许大瓷钵盛，合童子小便浸，逐日添注，任令溢出，浸二七日，其乌头通软，拣去烂坏者不用。余以竹刀切破，每个作四片，用新汲水淘七遍后浸之，每日一易水，至七日通前浸二十一日，取出焙干。其药洁白为末，酒煮面糊丸，如绿豆大，每服十丸，空心盐汤或酒下，以些少粥饭压之。服此去一切冷气及风痰，止遍身疼痛，益元气，强力，固精益髓，令人少病。如冷气稍盛，加数服之。○用一个好者，炭火烧烟欲尽，取出地上盏子合定良久，细研，合蜡丸如麻子大，每服三丸。赤痢，黄连、甘草、黑豆煎汤；白痢，甘草、黑豆煎汤，俱候冷吞下，如泻及肚疼，水吞下，每于空心服之，忌热物。○以一斤合清油四两，盐四两，铛内熬令裂，如桑椹色为度。去皮脐，入五灵脂四两，同为末，捣令匀，用蒸饼和丸，如梧子大，空心以温酒或盐汤下二十丸，治妇人血风虚冷，月候不匀，或脚手心烦热，头面浮肿，顽麻及丈夫风疾。○去皮脐者五两，合五灵脂①五两，为末，入龙脑、麝香各少许，研令细，滴水丸如弹子大。每服一丸，先以生姜汁研化，次以温酒调服之，日再，空心及晚食前，疗瘫缓风，手足蝉曳，口眼㖞斜，语言蹇涩，履步不正，

---

① 脂：原作"芝"，据印本改。

治一人只须三十丸，服五六丸后便觉抬得手、移得步，十丸可以自梳头。○为末少许，合头醋调，傅蝎螫，止痛。○取尖合黄檗等分，为末，疗陷甲割甲成疮，久不瘥者，洗净贴之。○用三两，以一两生，一两炒，一两烧存性，共研为末，合醋面糊为丸，如绿豆大，每服五丸，空心服。如泻用，井花水下；赤痢，甘草汤下；白痢，干姜汤下；赤白痢，生姜、甘草汤下。○烧作灰，合菖蒲等分，为末，绵裹塞耳中，治耳鸣无昼夜。

禁 妊娠不可服。

忌 豉汁。

解 人中射罔毒者，以甘草、蓝青、小豆叶、浮萍、冷水、荠苨解之。

○ 草之草

天雄

有大毒　植生

天雄出神农本经。主大风，寒湿痹，历节痛，拘挛，缓急，破积聚，邪气，金疮，强筋骨，轻身健行。以上朱字神农本经。疗头面风去来疼痛，心腹结积，关节重，不能行步，除骨间痛，长阴气，强志，令人武勇，力作不倦。以上黑字名医所录。

名 白幕。

苗 〔图经曰〕此是乌头下与附子同生，皆非正出。其茎有棱而方，高及二三尺，叶如艾，花作穗，紫赤色，有实如棋。别说云：始种乌头而不生诸附子、侧子之类，经年独生三寸已上者，谓之天雄。蜀人种乌头而生此物，意为不利，如养蚕而为白僵蚕也。

地 〔图经曰〕生少室山谷及蜀道、绵州、龙州。

时 〔生〕春生苗。〔采〕二月、八月中旬取。

收 阴干。

用 根。

质 类附子而细长。

色 皮黑，肉白。

味 辛、甘。

性 大温，散。

气 气之厚者，阳中之阳。

臭 朽。

主 助阳道，暖水脏。

行 诸经。

助 远志为之使。

反 恶腐婢。

制 凡用炮令裂，去皮脐用。

治 〔疗〕〔药性论云〕去风疾冷痹，软脚毒风，能止气喘促急。〔日华子云〕除诸风，一切气，通九窍，利皮肤，调血脉，四肢不遂，破痃癖，癥结，排脓止痛，续骨，消瘀血，疗霍乱转筋，背脊偻伛，消风痰，下胸膈水，发汗，止阴汗。炮含，治喉痹。

〔补〕〔日华子云〕暖腰膝，益精明目，补冷气虚损。

　　禁　妊娠不可服。

　　忌　豉汁。

　　解　杀禽兽毒。

○ 草之草

侧子

有大毒　植生

侧子主痈肿，风痹，
历节，腰脚疼冷，寒
热鼠瘘。名医所录。

名 茛、虎掌。

苗 〔蜀本图经曰〕苗高二尺许，叶似石龙芮及艾，花紫赤色，其实紫黑如椹。〔唐本注云〕此虽与乌头同根，乃附子之旁出者也。苏恭云：附子旁生绝小如枣核者。或云：附子芽角削下者，今据附子旁果有角如大枣核，及有大如槟榔已来，形状不系削落而自是一颗，则是附子旁出为侧子，明矣。

地 〔图经曰〕生犍为山谷及广汉。〔道地〕蜀地、龙州、绵州者佳。

时 〔生〕春生苗。〔采〕八月取根。

收 阴干。

用 根。

质 类芋而小。

色 皮黑，肉白。

味 辛。

性 大热，散。

气 气之厚者，阳中之阳。

臭 腥。

主 冷风，湿痹。

行 诸经。

助 地胆为之使。

反 畏防风、黑豆、甘草、黄芪、人参、乌韭，恶蜈蚣。

制 凡用，炮裂去皮脐，切片用。

治 〔疗〕〔陶隐居云〕除脚气。〔药性论云〕治大风，筋骨挛急。

合治 作末，合冷酒调服，疗遍身风疹。

禁 妊娠不可服。

忌 豉汁。

○ 草之草

半夏

有毒　植生

半夏出神农本经。主伤寒寒热，心下坚，下气，喉咽肿痛，头眩，胸胀，咳逆，肠鸣，止汗。以上朱字神农本经。消心腹胸膈痰热满结，咳嗽上气，心下急痛，坚痞，时气呕逆，消痈肿，堕胎，疗痿黄，悦泽面目。生令人吐，熟令人下。以上黑字名医所录。

名 守田、地文、水玉、示姑。

苗 〔图经曰〕春生苗，一茎高尺许，茎端三叶，浅绿色，颇似竹叶而光，江南者似芍药叶。根下相重生，上大下小，皮黄肉白。五月采者虚小，八月采者实大，然以圆白陈久者为佳。其平泽生者甚小，名羊眼半夏。一种由跋生林下，苗高一二尺许，其根绝类半夏，足能乱真。

地 〔图经曰〕生槐里川谷，今在处有之。〔陶隐居云〕出青州，吴中亦有。〔道地〕齐州者为佳。

时 〔生〕二月苗。〔采〕八月取根。

收 暴干。

用 根。

质 类南星而圆小。

色 白。

味 辛。

性 平。〔生〕微寒。〔熟〕温。

气 气之薄者，阳中之阴。

臭 朽。

主 开胃健脾，消痰止呕。

行 足阳明经、太阴经、少阳经。

助 射干、柴胡为之使。

反 乌头，畏雄黄、生姜、干姜、秦皮、龟甲，恶皂荚。

制 初采得，当以灰裹二日，却，用汤泡洗十遍，漉出，洗去滑令尽，生姜汁制之。不尔，戟人咽喉，令人气逆。

治 〔疗〕〔药性论云〕消痰涎，去胸中痰满，下肺气，除咳。○新生者，涂痈肿不消，能除瘤瘿，气虚而有痰者加用之。〔日华子云〕治吐食反胃，霍乱转筋，腹冷及痰疟。〔别录云〕蝎瘘有五孔皆相通者，作末水调，傅之，瘥。○治五绝，一曰自缢，二曰墙壁压，三曰溺水，四曰魇寐，五曰产晕。凡五绝，皆以半夏一两捣为末，冷水和丸，如大豆许，内鼻中即愈。及诸卒死如心温者，以大豆许末吹鼻可瘥。

　　合治　以三升合人参三两，白蜜一斤，用水一斗二升和，扬之一百四十遍，煮取三升，半温服一升，日再服，治反胃呕吐及膈间支饮。○以一升合生姜半斤，茯苓三两，切碎，用水七升煎取一升半，温分服，疗呕哕谷不得下及眩悸者。○以半两汤浸洗七次，去滑，合生姜一两同剉，用水一大盏煎至六分，去滓，分二服，治时气呕逆不下食。○以四两净洗，焙干，捣罗为末，合生姜自然汁和为饼子，以湿纸裹，于慢火中煨令香熟，用水两盏煎弹丸大饼子一块，入盐半钱同煎，取一盏温服，治胸膈壅滞，去痰开胃，及治酒食所伤，其功极验。○以末三钱合白面一两，和水溲作棋子块，用水煮，以面熟为度，加生姜、醋，调和服之，治久积不下食，呕吐不止，冷在胃中者，愈。○洗干作末，合生姜汤服一钱匕，治伤寒病哕不止。○以少许洗，捣末，合酒和丸如粟米大，每服二丸，生姜汤吞下，治小儿腹胀。如未瘥，加数丸服，或以火炮为末，贴脐亦佳。○不计多少，酸浆浸一宿后，用温汤洗五七遍，去恶气，晒干，捣为末，浆水溲作饼子，仍晒干，再为末，每五两合脑子一钱研匀，以浓浆脚和丸如鸡头子大，以纱袋盛，挂通风处阴干，每服一丸，茶汤或薄荷汤下，治膈壅风痰。

　　禁　妊娠不可服，渴病人不可服。

　　解　误食此中毒者，以生姜汁解之。

　　忌　羊血、羊肉、海藻、饴糖。

　　赝　白傍芃子为伪。

○ 草之草

虎掌

有大毒　植生

虎掌出神农本经。主心痛，寒热结气，积聚，伏梁，伤筋痿，拘缓，利水道。以上朱字神农本经。除阴下湿，风眩。以上黑字名医所录。

苗〔图经曰〕初生根如豆大，渐长大似半夏而扁。累年者其根圆，及寸大者如鸡卵，周匝生圆芽二三枚，或五六枚。三四月生苗，高尺余，独茎上有叶如爪，叶五六出分布，尖而圆。一窠生七八茎时，出一茎作穗，直上如鼠尾。中生一叶如匙，裹茎作房，傍开一口，上下尖中有花，微青褐色，结实如麻子，大熟即白色，自落布地。一子生一窠，其苗九月凋残。江州有一种草，叶大如掌，面青背紫，四畔有芽如虎掌，生三四叶为一本，冬月常青，不结花实，与此名同，故附见之。〔唐本注云〕此药是由跋宿者，其苗一茎，茎头一叶，枝丫①腋②茎。根大者如拳，小者如鸡卵，都似扁柿，四畔有圆芽如虎掌，故有此名。其由跋是新根，犹大于半夏二三倍，但四畔无

掌虎州江

---

① 丫：原注"音鸦"。
② 腋：原注"古愶切"。

子牙尔。

地 〔图经曰〕生汉中山谷及冤句，今河北州郡亦有。〔道地〕
冀州、江州。

时 〔生〕三月、四月生苗。〔采〕二月、八月、九月取根。

收 阴干。

用 根。

质 类半夏而扁大。

色 白。

味 苦。

性 温、微寒，泄。

气 气薄味厚，阴中之阳。

臭 朽。

主 疝瘕，肠痛。

助 蜀漆为之使。

反 恶莽草。

制 以汤渍三七日，汤冷乃易，日换三四遍，洗去涎，暴干用之。

治 〔疗〕〔药性论云〕治风眩目转及伤寒时疾，强阴。

由跋

有毒 植生

由跋主毒肿，结热。

名医所录。

苗 〔图经曰〕春抽一茎，苗高一二尺，似蒟^①蒻，茎端直八九叶。根如鸡卵大，圆扁而肉白，多生林下，所谓由跋也。

地 〔陶隐居云〕出始兴。

时 〔生〕春生苗。〔采〕五月、八月取根。

收 暴干。

用 根。

质 类半夏而大。

色 白。

味 辛。

性 平，散。

气 气之薄者，阳中之阴。

臭 朽。

合治 合苦酒，磨涂肿，效。

禁 不入汤药。

---

① 蒟：原作"莒"，据同卷"天南星"条改。

○ 草之草

鸢尾

有毒　丛生

鸢尾出神农本经。主蛊毒，邪气，鬼疰，诸毒，破癥瘕，积聚，去水，下三虫。以上朱字神农本经。**疗头眩，杀鬼魅。**以上黑字名医所录。

名 乌园。〔根〕鸢头、鸢根。

苗 〔图经曰〕叶似射干而阔短，不抽长茎，花紫碧色。布地生黑根，似高良姜而节大，数个相连，皮黄肉白，鸢头即其根也。

地 〔图经曰〕生九疑山谷，及人家亦种，所在有之。

时 〔生〕春生苗。〔采〕五月、九月、十月取。

收 日干。

用 茎、叶。

质 类射干叶而扁阔。

色 青绿。

味 苦。

性 平，泄。

气 气之薄者，阳中之阴。

臭 香。

主 蛊毒，邪气。

制 剉碎用。

治 〔疗〕〔陈藏器云〕飞尸游蛊著喉中，气欲绝者，以根削去皮，内喉中磨病处，令血出乃瘥。

○ 草之草

大黄

无毒　植生

大黄出神农本经。主下瘀血，血闭，寒热，破癥瘕，积聚，留饮，宿食，荡涤肠胃，推陈致新，通利水谷，调中化食，安和五脏。以上朱字神农本经。平胃，下气，除痰实，肠间结热，心腹胀满，女子寒血闭胀，小腹痛，诸老血留结。以上黑字名医所录。

名 将军、黄良。

苗 〔图经曰〕春生青叶，似蓖麻，其形如扇。根如芋，大者如碗，长一二尺，傍生细根如牛蒡，小者亦如芋。四月开黄花，亦有青红似荞麦花者，茎青紫色，形如竹。江淮出者，名土大黄，二月开花，结细实；鼎州出者，名羊蹄大黄，初生苗，叶似羊蹄，累年长大，叶似商陆而狭尖，四月内于押条上出穗，五七茎相合，花叶同色，结实如荞麦而轻小，五月熟即黄色，亦呼为金荞麦。破之亦有锦纹，干之亦呼为土大黄也。

地 〔图经曰〕生河西山谷及陇西，江淮、鼎州、河东州郡亦有之。〔陶隐居云〕益州北部、汶山、西山。〔唐本注云〕宕州、西羌。〔道地〕蜀州、陕西凉州。

时 〔生〕正月生苗。〔采〕九月取根。

收 日干。

用 根锦纹者为佳。

质 类商陆。

色 黄。

味 苦。

性 大寒，泄。

气 味厚气薄，阴也。

臭 香。

主 荡涤湿热，推陈致新。

行 手、足阳明经。酒浸，入足太阳，经酒洗，入手阳明经。

助 黄芩为之使。

反 恶干漆。

制　剉碎或酒浸、酒洗用。

治〔疗〕〔药性论云〕消食，安五脏，通女子经候，利水肿，破留饮并痰实，冷热结聚，利大小肠，贴热肿毒及蚀脓，兼小儿寒热时疾。〔日华子云〕宣通一切气，调血脉，利关节，泄壅滞，水气，四肢冷热不调，温瘴热疾，并傅一切疮疖痈毒。〔汤液本草云〕泻诸实热不通，荡涤肠胃间热。〔别录云〕治发豌豆疮，以半两微炒，用水一大盏煎至七分，去滓，分为二服。○小儿脑热常闭目，以一分粗剉，用水三合浸一宿，一岁儿每日与半合服，余者涂顶上，干即再涂，愈。

合治　合干姜、巴豆各等分，捣末，蜜和，更杵一千下，丸如小豆大，每服三丸，以暖水或酒服。未瘥，更加数丸，老小斟量与之，疗心腹诸疾，卒暴百病，中恶客忤，心腹胀满如刀锥刺，卒痛，气急口噤，停尸卒死者。若不下，扶头起，灌令下喉，须臾，腹当雷鸣，转即吐下，便愈。若口已噤，亦须折齿灌之，即瘥。○锦纹新实者九两，去苍皮捣末，合米醋三升，和置铜器内，于大铛中浮汤上缓火蒸煮，常以竹篦搅药候堪丸，易瓷器另贮，丸如梧子大，疗小儿无辜闪癖，瘰疬，或头干黄耸，或乍痢乍瘥。诸状多者，服此药后，当下青赤脓为度。若不下脓或脓少者，稍稍加丸服之。若下脓多，又须减少丸数。量儿大小，斟酌用之。此药惟下脓宿结，不令儿利，须禁食毒物。食乳者，乳母毒物亦宜忌之。○用五两剉，炒微赤，捣末，合腊月雪水五升，煎如膏，每服半匙，冷水调下，不计时候，疗热病狂语，及诸发黄者愈。○锦纹者一两，杵末，合醋半斤同熬成膏，丸如梧桐子大，每以温醋七分盏，化五丸服之，治产后恶血冲心，或胎衣不下，腹中血块良久即下，亦治坠马内损者。○以三两捣末，合酒二升煮十沸，顿服，治妇人血癖痛。〇以四两合牵牛子四两，二味半生半熟捣末，炼蜜为丸如梧子大，每服十丸，茶汤下，解风热积热，风壅消食，化气导血，大解壅滞。欲微动，服十五丸，冬月最宜服。〇以半两合生姜半两，同切如小豆大，铛内炒黄色，投水两碗，至五更初顿服，天明即下腰间恶血如鸡肝样，疗腰痛即止。〇以末一钱合生地黄汁一合，水半盏煎三五沸，无时服，疗吐血即止。〇以四分合童子小便五六合，煎取四合，去滓，空腹分为两服，如人行四五里再服，治骨节热积，渐黄瘦。〇切二两，水三升半渍一宿，平旦煎绞汁一升半，合芒硝二两，缓服，须臾，当快利，疗急黄病。

○ 草之草

葶苈

无毒　植生

葶苈出神农本经。主癥
瘕，积聚，结气，饮
食寒热，破坚逐邪，
通利水道。以上朱字神
农本经。下膀胱水，伏
留热气，皮间邪水上
出，面目浮肿，身暴
中风，热痹①痒，利小
腹。久服令人虚。以
上黑字名医所录。

---

① 痹：原注"音沸"。

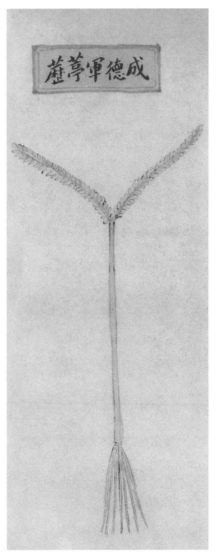

名 丁历、葶①蒿、大室、大适、狗荠、靡草荠。

苗〔图经曰〕初春生，苗叶高六七寸，有似荠。根白，枝茎俱青，三月开花，微黄。茎端结角子，扁小如黍粒，微长，黄色。又有一种苟芥草，叶近根下作奇生，角细长，取时必须分别也。

———————

① 葶：原注"音典"。

〔衍义曰〕葶苈用子，子之味有甜、苦两等，其形则一也。《经》既言味辛、苦，即甜者不复更入药也。大概治体，皆以行水走泄为用，故曰久服令人虚，盖取苦泄之义，其理甚明。

地　〔图经曰〕生藁城平泽，及陕西、河北州郡皆有之。〔道地〕曹州、彭城。

时　〔生〕初春生苗。〔采〕立夏后取。

收　阴干。

用　子苦者。

质　类车前子。

色　赤、黄。

味　辛、苦。

性　大寒，泄。

气　味厚于气，阴也。

臭　朽。

主　消水肿，定喘促。

助　榆皮为之使。

反　恶僵蚕、石龙芮。

制　〔雷公云〕用糯米相合，微焙，待米熟，去米单捣用。

治　〔疗〕〔陶隐居云〕除肺壅上气咳嗽，定喘促，及胸中痰饮。〔药性论云〕利小便，泄肺气，止喘息急。〔别录云〕治一切毒入腹不可疗及马汗毒，以一两炒研，用水一升浸汤服取，下恶血，愈。又治小儿白秃，以一两捣末，汤洗疮讫，涂上，愈。又治小儿蛔虫，以一分，生为末，用水三合煎取一合，一日服尽，虫即下。

合治　以三升，微火熬，捣为末合清酒五升渍之，冬七日、夏三日，服如桃许大，日三服，夜一服，冬日二服，夜二服，取微利为度。如患急困不得，待日满亦可以绵细绞即服，疗上气咳嗽不得卧，遍体气肿，面肿足肿，并治之。○以四两炒捣末，丸如弹丸大，每服用大枣二十枚，水三升煎二升，然后内丸煎取一升，顿服之，治肺痈喘急不得卧，及支饮久不瘥者。○曹州者一两，衬纸熬令黑，合知母一两、贝母一两同捣末，以枣肉半两，别销沙糖一两半，同和为丸，如弹子大，每用以绵裹一丸含之，徐徐咽津，疗嗽，含之不过三丸。○以三两杵六千下，令如泥，合汉防己末四两，取绿头鸭就药臼中截头，沥血于臼中，血尽，和头更捣五千下，丸如梧子大，患甚者空腹白汤下十丸，疗水肿及暴肿。○以半两微炒，捣如泥，合枣肉捣为丸，如绿豆大，每服五丸，空心晚后枣汤下，治小儿水气腹肿，兼下利脓血，小便涩，量儿大小加减服之。

禁　久服令人虚。

赝　赤鬏子、苟芥草为伪。

梗桔州解

桔梗

有小毒　植生

桔梗出神农本经。主胸膈痛如刀刺，腹满肠鸣幽幽，惊恐，悸气。以上朱字神农本经。**利五脏肠胃，补血气，除寒热风痹，温中消谷，疗咽喉痛，下蛊毒。**以上黑字名医所录。

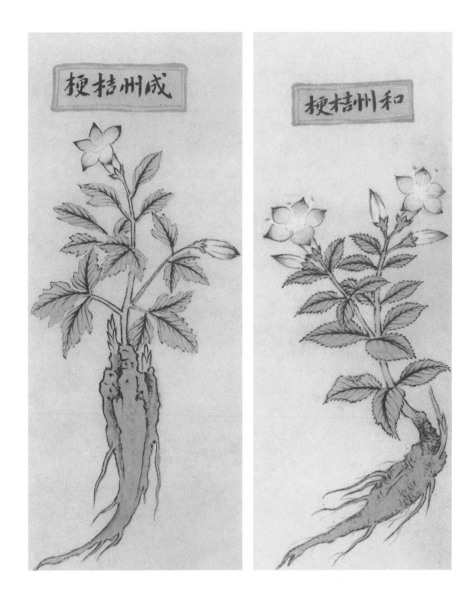

名 利如、房图、白药、梗草。〔叶〕隐忍。

苗 〔图经曰〕春生苗，茎高尺余，叶似杏叶而长椭，四叶相对而生，嫩时亦可煮食之。夏开花，紫碧色，颇似牵牛花，秋后结子。其根有心，如小指大，黄白色。无心者，乃荠苨也。而荠苨亦能解毒，二物颇相乱，但荠苨叶下光泽无毛为异。关中桔梗根黄，颇似蜀葵根，茎细叶小，俱青色，叶似菊花叶耳。〔唐本注云〕荠苨、桔梗又有叶差互者，亦有叶三四对者，皆一茎直上。叶既相乱，惟以根有心无心为别尔。

地　〔图经曰〕生嵩高山谷及冤句，在处有之。〔道地〕解州、成州、和州。

时　〔生〕春生苗。〔采〕二月、八月取根。

收　暴干。

用　根坚直白者为好。

质　类人参。

色　白。

味　辛、苦。

性　微温，散。

气　味厚气轻，阳中之阴。

臭　香。

主　利肺气，止喉痹。

行　手太阴经，足少阴经。

助　节皮为之使。

反　畏白及、龙眼、龙胆。

制　去芦头，剉碎用。

治　〔疗〕〔药性论云〕止下痢，破血，去积气，消积聚痰涎，主肺气，气促嗽逆，除腹中冷痛，主中恶及小儿惊痫。〔日华子云〕下一切气，止霍乱转筋，心腹胀痛，养气除邪，辟温补虚痰，破癥瘕，养血排脓，补内漏。〔汤液本草云〕治鼻塞，寒呕。〔别录云〕鼻衄及吐血，为末，水服方寸匕立止。又打击瘀血在内，久不消，时发动者，捣末，熟水下刀圭，瘥。及卒蛊毒下血如鹅肝，昼夜痛不绝，脏腑败坏者，捣汁服七合，瘥。〔补〕〔日华子云〕

补五劳，养气血。

　　合治 合甘草各二两，以水三升，煮一升，分再服，疗胸中满而振寒，脉数，咽燥不渴，时时出浊[①]唾腥臭，日久吐脓如粳米粥，是肺痈也，服后朝暮吐脓血则瘥。又治上焦有热，口舌咽中生疮者。○以一两细剉，合生姜三片，水一盏，煎至一分，去滓温服，疗妊娠中恶，心腹疼痛。○以二两烧末，合米饮调服，仍服麝香如大豆许，治卒客忤停尸，不能言者。

　　忌 猪肉。

　　解 瘕毒，以白粥解之。

　　赝 荠苨为伪。

---

① 浊：原作"渴"，据《证类本草》改。

○ 草之草

莨菪子①

有毒　植生

莨②菪③子出神农本经。主齿痛出虫，肉痹拘急，使人健行，见鬼多食，令人狂走。久服轻身，走及奔马，强志益力，通神。以上朱字神农本经。**疗癫狂，风痫，颠倒，拘挛。**以上黑字名医所录。

————————
① 子：原无，据目录补。
② 莨：原注"音浪"。
③ 菪：原注"音荡"。

名 横唐、行唐、天仙子、狼蓎。

苗 〔图经曰〕苗茎高二三尺，叶似地黄、王不留行、红蓝等，叶三指阔。四月开花，紫色，苗荚茎有白毛，五月结实，有壳作罂子状，如小石榴，房中子至细如米粒。

地 〔图经曰〕出海滨川谷及雍州，处处有之。〔道地〕秦州。

时 〔生〕春生苗。〔采〕六月、七月取子。

收 日干。

用 子。

质 类米粒而微扁。

色 青、白。

味 苦、甘。

性 寒，泄。

气 气薄味厚，阴中之阳。

臭 朽。

主 风痫癫狂。

制 〔雷公云〕用十两，以头醋一镒，煮尽醋为度，却，用黄牛乳汁浸一宿。至明，看牛乳黑即是莨菪子毒，出，晒干，别捣，重筛用。

治 〔疗〕〔药性论云〕熟炒止冷痢，主齿痛蚛牙，咬之，孔内虫即出。又焦炒碾细末服，治脱肛。〔日华子云〕烧熏蚛牙，及洗阴汗。〔陈藏器云〕主痃癖，安心定志，聪明耳目，除邪逐风，变白。

合治 以三升作末，合酒一升，渍数日，取出捣细，以内汁和，绞去滓，汤上煎令可丸，如小豆大。每服三丸，日三次，治癫狂，服后当觉口面急，头中似有虫行额，及手足有赤色处。如此并是瘥候，未知再服。○以一升暴干，捣末，和生姜汁半斤，入银锅中，更以无灰酒二升投之，微火煎令如稠饧即旋投酒，度及五升即止，煎令可丸，乃丸大如梧子。每旦酒饮通下三丸，增至五七丸则止，治肠风。若丸时粘手，则用菟丝子粉衬之，煎熬切戒火紧，则药焦而失力矣。初服微热勿怪，疾甚者服过三日当下痢，痰去痢亦止，绝有效。

禁　生食之能泻人。

赝　苍冥子为伪。

解　误服本药，以甘草、升麻、犀角解之。

○ 草之草

草蒿

无毒　植生

草蒿主疥瘙，痂痒，
恶疮，杀虱，留热在
骨节间，明目。神农本经。

名 青蒿、方溃、犰蒿、菣蒿、
菣。

苗〔图经曰〕春生苗，叶
极细，嫩时人亦取杂诸香菜食
之。至夏，叶似茵陈蒿而背不白，
茎高四五尺。秋后开细淡黄花，
花下便结子，如粟米大。《诗·小
雅》云：食野之蒿。陆机云：
青蒿是也。

地〔图经曰〕出华阴川泽，
今处处有之。〔道地〕汝阴、荆豫、
楚州。

时 春生苗。〔采〕八月、
九月取。

收 暴干。

用 根、茎、子、叶。

质 类野艾而叶背不白。

色 青白。

味 苦。

性 寒，泄。

气 味厚于气，阴也。

臭 香。

主 骨蒸邪热。

制〔雷公云〕凡采叶不计
多少，用七岁儿童小便浸七日

蒿草

七夜后，漉出晒干用。

治〔疗〕〔图经曰〕疗金刃所伤，生捣傅上，以绵裹之，血止即愈。〔唐本注云〕生按，傅金疮，生肉，止疼痛。〔日华子云〕去蒜发心痛热黄，生捣汁服，并傅之。○子炒用，开胃。童便浸，治劳，壮健人。及煎汤，洗恶疮，疗癣，风疹。○臭蒿子，下气开胃，止盗汗及邪气鬼毒。〔别录云〕蜂螫人，嚼傅疮上，瘥。〔补〕〔日华子云〕补中益气，轻身补劳，驻颜色，长毛发，令发黑不老。

合治　暴干为末，合小便服，如觉冷，合酒煮服，疗鬼气尸疰，伏连，妇人血气，腹内满及冷热久痢。秋冬用子，春夏用苗，或单捣绞汁服亦可。○烧灰，用纸八九重淋取汁，合石灰点息肉恶疮，去瘢黶。○作末，合饭饮调服五钱匕，疗泻痢。○八九月采带子者五升，细剉，合澄过童子小便五斗，共内大釜中，以猛火煎取三斗。去滓，净洗釜令干，再泻汁安釜中，以微火煎可二斗。取猪胆十枚相和，煎一斗半，除火待冷，以瓷器盛。每欲服时，取甘草二三两，炙捣末，以蒿煎，和捣一千杵，为丸如梧子大，空腹粥饮下二十丸，渐增至三十丸，疗骨蒸鬼气，及丈夫、妇人劳瘦。

禁〔雷公云〕使子勿使叶，使叶勿使茎。四者若同用，反成痼疾。

旋覆花

有小毒　植生

旋覆花出神农本经。主结气，胁下满，惊悸，除水，去五脏间寒热，补中下气。以上朱字神农本经。消胸上痰结，唾如胶漆，心胁痰水，膀胱留饮，风气湿痹，皮间死肉，目中眵①盹②，利大肠，通血脉，益色泽。○根，主风湿。以上黑字名医所录。

---

① 眵：原注"音嗤"。
② 盹：原注"音蔑"。

名 戴椹、金沸草、盛椹、盗庚。

苗〔图经曰〕二月后生苗，多近水傍，大似红蓝而无刺，长一二尺，叶如水苏。六月开花，如菊花，小铜钱大，深黄色。上党田野人呼为金钱花，今近人家园圃所莳金钱花，花叶并如上说，极易繁盛，即此旋覆也。

地〔图经曰〕生平泽川谷，今所在有之。〔道地〕随州、河南。

时〔生〕二月生苗。〔采〕七月、八月取花。

收 暴干。

用 花。

质 类野菊花。

色 黄。

味 咸、甘。

性 温，软、缓。

气 气厚味薄，阳中之阴。

臭 香。

主 消结痰，逐水肿。

制〔雷公云〕凡采得后，去裹花蕊壳皮并蒂子，花蕊蒸，从巳至午，晒干用。

治〔疗〕〔药性论云〕疗肋胁气，下寒热，水肿，逐大腹，开胃，止呕逆不下食。〔日华子云〕明目，治头风，通血脉。○叶，止金疮血。〔衍义曰〕行痰水，去头风。〔别录云〕根捣汁沥，治破斫筋断疮，仍用滓封疮上，十五日其断筋便续，效。

合治 洗尘，去净，捣末，合蜜为丸，如梧子大，夜卧以茶清下五丸至七丸、十丸，疗中风及壅滞。

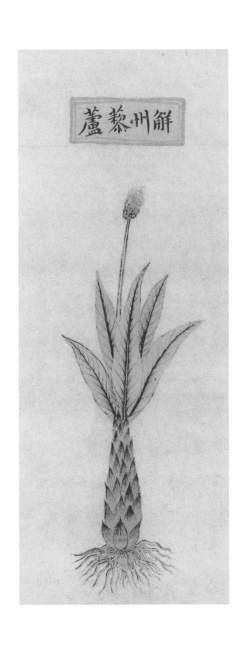

解州藜蘆

藜芦

有毒　植生

藜芦出神农本经。主蛊毒，咳逆，泄痢，肠澼，头疡疥瘙，恶疮，杀诸虫毒，去死肌。以上朱字神农本经。疗哕逆，喉痹不通，鼻中息肉，马刀烂疮。不入汤。以上黑字名医所录。

名 葱苒、葱葵①、山葱、葱葵、丰芦、蕙葵、鹿葱。

苗〔图经曰〕春生苗，叶青，似初出棕心，亦似车前。茎似葱白，青紫色，高五六寸，上有黑皮裹茎，似棕皮。有花，肉红色。根似马肠根，长四五寸许，黄白色。此有二种，一种水藜芦，茎叶大同，但生在近水溪涧石上，根须百余茎，不中入药。今用者，名葱白藜芦，其根须二三十茎，生高山者为佳，均州土俗亦呼为鹿葱，今萱草亦谓之鹿葱，其类全别，用者宜审之。

地〔图经曰〕生泰山山谷，及均州、河东、陕西、山南东西州郡皆有之。〔道地〕解州。

时〔生〕三月生苗。〔采〕八月取。

收 阴干。

用 根。

质 类百部。

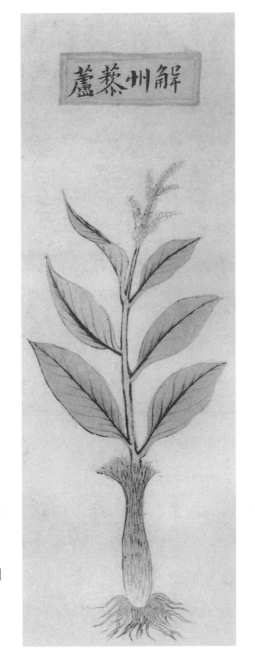

解州藜芦

① 葵：原注"音毯"。

色 黄白。

味 辛、苦。

性 寒，散。

气 气薄味厚，阴中之阳。

臭 腥。

主 杀虫疗癣。

助 黄连为之使。

反 细辛、芍药、人参、玄参、沙参、苦参，恶大黄。

制 〔雷公云〕凡采得，去头，用糯米泔汁煮，从巳至未，出，晒干用之。

治 〔疗〕〔图经曰〕大吐上膈风涎，暗风，痫病。〔药性论云〕主上气，去积年脓血，及治恶风疮，头秃。〔衍义曰〕作末细调，治马疥癣。〔别录云〕治黑痣生于身面上，烧灰五两，水一大碗，淋灰汁，于铜器中盛，以重汤煮令如膏，以针微刺破痣处，点之不过三遍，验。又作末，内牙孔中，治牙疼，效。勿咽其汁。又以半两煮，灰汁中炮过，小变色，捣为末，水服半钱匕，取小吐，疗黄疸，不过数服，瘥。又治中风，不省人事，牙关紧急者，以一两去芦头，浓煎防风汤浴过，焙干碎切，炒微褐色，捣为末，每服半钱，温水调下，以吐出风涎为效。如人行三里未吐，再服。

合治 以一分，用天南星一个，去浮皮，于脐上陷一坑子，内陈醋二橡斗许，四面用火逼令黄色，合一处捣研极细，用面糊丸如赤豆大，每服三丸，温酒下，治中风不语，喉中如拽锯声，口吐涎沫者，瘥。

禁 多服，令人恶吐不已。

○ 草之草

钩吻

有大毒　蔓生

钩吻出神农本经。主金疮，乳窒，中恶风，咳逆上气，水肿，杀鬼疰，蛊毒。以上朱字神农本经。**破癥积，除脚膝痹痛，四肢拘挛，恶疮，疥虫，杀鸟兽。**以上黑字名医所录。

名　〔根〕野葛、固活。

苗　〔蜀本云〕叶似黄精而紫，当心抽花，黄色，头尖处有两毛若钩。〔唐本注云〕其苗蔓生，叶似柿叶，皮白骨黄，宿根似地骨，嫩根如汉防己，根节断者良。上说似黄精，且黄精直生如龙胆、泽漆，两叶或四叶相对。钩吻蔓生，叶如柿叶，以此观之，非黄精之类也。《经》云：折之青烟出者，名固活。甚热不入汤用。

地　〔图经曰〕生傅高山谷，及会稽、东野、桂州、南越山、益州皆有之。

时　〔生〕春生苗。〔采〕二月、八月取根。

收　暴干。

用　根。

质　宿根类地骨，嫩根类汉防己。

色　褐。

味　辛。

性　温，散。

气　气之厚者，阳也。

臭　腥。

主　涂恶毒疮。

助　半夏为之使。

反　恶黄芩。

禁　不可食，入口则死。

解　误中其毒，以羊血、桂心、葱叶、涎解之。

○ 草之草

射干

有毒　植生

射[①]干出神农本经。主咳逆上气，喉痹咽痛，不得消息，散结气，腹中邪逆,食饮大热。以上朱字神农本经。疗老血在心脾间，咳唾，言语气臭，散胸中热气。久服令人虚。以上黑字名医所录。

————————
① 射：原注"音夜"。

名 乌扇、乌蒲、乌翣、乌吹、草姜、凤翼。

苗〔图经曰〕春生苗，高二三尺，叶似蛮姜而狭长，横张疏如翅羽状，故名乌翣。谓其叶中抽茎，似萱草而僵硬。六月花开，红黄色，瓣上有细纹。秋结实，作房中子，黑色。根多须，皮黄黑，肉黄赤。

地〔图经曰〕生南阳川谷、田野，今所在有之。〔道地〕滁州。

时〔生〕春生苗。〔采〕三月三日取根。

收 阴干。

用 根。

质 类高良姜。

色 黄赤。

味 苦。

性 平、微温，泄。

气 气之薄者，阳中之阴。

臭 朽。

主 喉痹肿毒。

制〔雷公云〕凡使，先以米泔水浸一宿，漉出。然后用堇竹叶煮，从午至亥，漉出，日干用之。

治〔疗〕〔药性论云〕通女子月闭，治疰气，消瘀血。〔日华子云〕消痰，破癥结，胸膈满，腹胀气喘，疝癖，开胃下食，消肿毒，镇肝明目。〔别录云〕小儿疝发时肿痛如刺，以生者捣汁取下，亦可作丸服之。

禁 久服令人虚。

○ 草之草

蛇含

无毒　植生

蛇含 出神农本经。主惊痫，寒热邪气，除热，金疮，疽痔，鼠瘘，恶疮，头疡。以上朱字神农本经。疗心腹邪气，腹痛，湿痹，养胎，利小儿。以上黑字名医所录。

名 蛇衔、威蛇、雀瓢。

苗 〔图经曰〕生土石上或下湿地，蜀中人家亦种之，一茎五叶或七叶。此有两种，当用细叶黄色花者为佳。

地 〔图经曰〕生益州山谷，今近处亦有之。〔道地〕兴州。

时 〔生〕春生苗。〔采〕五月取叶，八月取根。

收 阴干。

用 根、叶。

质 类竟命草而叶小。

色 青。

味 苦。

性 微寒，泄。

气 味厚于气，阴也。

臭 腥。

主 诸疮疡。

制 去根、茎，只取叶细切，晒干，不犯火。一用根。

治 〔疗〕〔图经曰〕叶捣极烂，傅赤疹、丹毒、疮肿。〔别录云〕金疮及蜈蚣螫人，捣傅之，佳。○根，治产后泻痢，浓煎服之。

解 误服竟命草吐血不止，服知时子解之。

赝 竟命草为伪。

○ 草之木

常山

有毒　植生

常山出神农本经。主伤寒
寒热，热发温疟，鬼毒，
胸中痰结，吐逆。以上
朱字神农本经。疗鬼蛊，
往来水胀，洒洒恶寒，
鼠瘘。以上黑字名医所录。

名 互草。

苗 〔图经曰〕常山，即蜀漆根也。叶似茗而狭长，两叶相当，茎圆有节。三月生白花，青萼，五月结实而圆，三子为房。苗高者不过三四尺，根似荆，黄色。而海州出者叶似楸叶，八月开红白花，子碧色，似山楝子而小。今天台山出一种草，名土常山，苗叶极甘，人用为饮。由其味香甘如蜜，又名蜜香草，性亦温，饮之益人，非此常山也。

地 〔图经曰〕生益州山谷及汉中，金州、房州、梁州皆有之。〔道地〕宜都、建平。

时 〔生〕春生苗。〔采〕八月取根。

收 日干。

用 根细实如鸡骨者佳。

质 类荆根而微黄。

色 黄。

味 苦、辛。

性 微寒，泄。

气 气薄味厚，阴中之阳。

臭 腥。

主 截诸疟，吐痰涎。

反 畏玉扎。

制 〔雷公云〕酒浸一宿，漉出，日干用。

合治 合小麦、竹叶煮服，疗小儿疟，洒洒寒热，项下瘰疬。○以三两合浆水三升，浸一宿，煎取一升，治疟疾。于欲发前顿服，取微吐，瘥。○以三两捣末，合鸡子白，和丸如梧子大，空心服三十丸，治疟病，效。

禁　多服令人大吐。又老人久病不宜服。

忌　葱、菘菜①。

---

① 菘菜：原注"即今白菜也"。

蜀漆

有毒　植生

蜀漆出神农本经。主疟及咳逆寒热，腹中癥坚，痞结，积聚，邪气，蛊毒，鬼疰。以上朱字神农本经。疗胸中邪结，气吐出之。以上黑字名医所录。

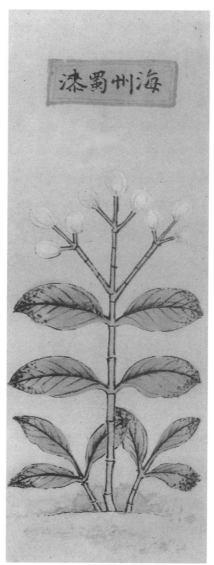

名 鸡尿草、鸭尿草。

苗 〔图经曰〕春生苗，高三四尺，叶似茗而狭长，两两相当，茎圆有节，三月生红花，青萼，五月结实而圆，三子为房，而海州出者叶似楸叶，八月开红白花，子碧色，似山楝子而小，此种即常山苗也。

地 〔图经曰〕生江林山川谷及蜀汉中、益州山谷，淮、浙、湖南州郡亦有之。〔道地〕明州、海州。

时 〔生〕春生苗。〔采〕五月取。

收 暴干。

用 苗、叶。

质 类荆茎而有节。

色 黄。

味 辛。

性 平、微温，散。

气 气之厚者，阳也。

臭 腥。

主 久疟，积聚。

助 栝楼、桔梗为之使。

反 畏囊吾，恶贯众。

制 〔雷公云〕取茎并叶五两，以甘草四两细剉，拌水令湿，同蒸，临时去甘草。取蜀漆，又拌甘草水匀，再蒸了，任用。

治 〔疗〕〔药性论云〕主鬼疟，温疟，及寒热疟，下肥气，积聚。〔日华子云〕治癥瘕。

合治 合云母、龙骨等分，杵末，以浆水调半钱，疗疟疾，于未发前服，效。如温疟，再加蜀漆半分，临发时服一钱匕，瘥。

忌 木笋。

禁 不可多服，令人吐逆。

○ 草之草

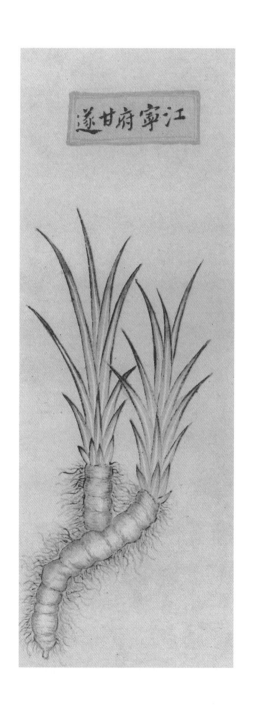

甘遂

有毒　附草甘遂　植生

甘遂出神农本经。主大腹疝瘕，腹满，面目浮肿，留①饮宿食，破癥坚，积聚，利水谷道。以上朱字神农本经。下五水，散膀胱留热，皮中痞热气肿满。以上黑字名医所录。

---

① 留：原作"苗"，据印本改。

名 甘藁、陆藁、陵泽、重泽、主田。

苗 〔图经曰〕苗似泽漆，茎短小而叶有汁，根皮赤，肉色白，作连珠，又似和皮甘草，以实重者为胜。又有一种草甘遂，苗一茎六七叶，如蓖麻、鬼臼叶，用之殊恶。〔唐本注云〕真甘遂皮赤肉白，草甘遂皮白。皮白者乃蚤休，俗名重台也。

地 〔图经曰〕生中山川谷，及陕西、江东、汴沧亦有之。〔道地〕江宁府、京西。

时 〔生〕春生苗。〔采〕二月取根。

收 阴干。

用 根。

质 类和皮甘草。

色 皮赤肉白。

味 苦、甘。

性 大寒，泄。

气 味厚于气，阴也。

臭 朽。

主 逐水肿，破癥坚。

助 瓜蒂为之使。

反 甘草，恶远志。

制 〔雷公云〕凡采，去茎，于槐砧上细剉，用生甘草汤、小荠苨自然汁二味搅浸三日，其水如墨汁，更漉出。用东流水淘六七次，以水清为度，漉出，于土器中熬令脆，用之。

治 〔疗〕〔唐本注云〕草甘遂，疗痈疽，蛇毒。〔药性论云〕甘遂，泻十二种水疾，治心腹坚满，下水，去痰水，主皮肌浮肿。〔别录云〕治腹满，大小便不利，气急者，捣末二分，分五服，熟水下。如觉心下烦，得微利，日一服愈。

合治 甘遂末一分，猪肾一枚，分为七脔，散甘遂末于中，以火炙之令熟，日食一次，至四五日，治卒肿满身面皆浮，当觉腹胁鸣、小便利，瘥。

禁 气虚人不可服。

解 蛇毒。

赝 蚤休为伪。

○ 草之走

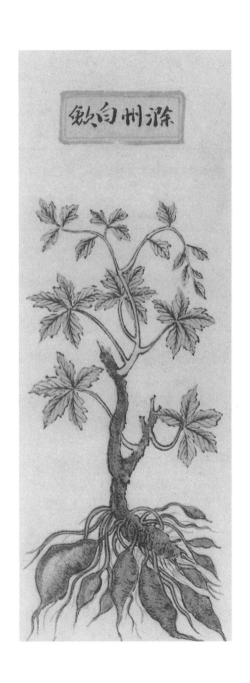

白蔹

无毒　蔓生

白蔹出神农本经。主痈肿，疽疮，散结气，止痛，除热，目中赤，小儿惊痫，温疟，女子阴中肿痛。以上朱字神农本经。**下赤白，杀火毒。**以上黑字名医所录。

名　菟核、白草、白根、昆仑。

苗　〔图经曰〕二月生苗，多在林中作蔓生，其茎赤色，茎端有五叶，如小桑。五月开花，七月结实。根如鸡鸭卵，三五枚同窠，皮黑肉白。濠州有一种赤菝，功用与白菝同，花实亦相类，但表里俱赤尔。〔唐本注云〕此根似天门冬，一株下有十许根，皮赤黑，肉白如芍药。

地　〔图经曰〕生衡山山谷及江淮州郡，荆、襄、怀、孟、商、齐、濠诸州皆有之。〔道地〕滁州。

时　〔生〕春生苗。〔采〕二月、八月取根。

收　暴干。

用　根。

质　类地瓜而长。

色　皮黑肉白。

味　苦、甘。

性　寒，泄。

气　气薄味厚，阴中之阳。

臭　朽。

主　一切肿毒，生肌止痛。

助　代赭为之使。

反　乌头。

治　〔疗〕〔图经曰〕治风金疮及面药。〔日华子云〕止惊邪，血邪，发背瘰疬，肠风痔瘘，刀箭疮，扑损，温热疟疾，血痢，火疮。〔别录云〕疗疔疮及发背，并汤火灼烂疮，以水调末傅之，效。

合治　合赤小豆、莤草为末，用鸡子白，调肿毒。

解　杀火毒。

○ 草之草

青葙子

无毒　植生

青葙子出神农本经。主
邪气，皮肤中热，风
瘙身痒，杀三虫，疗
唇口青。以上朱字神农本
经。**恶疮，疥虱痔蚀，
下部䘌疮。**以上黑字名医
所录。

名　草蒿、姜蒿、草藁、昆仑草、草决明。

苗　〔图经曰〕二月生苗，长三四尺。叶阔似柳，软茎似蒿，青红色。六七月开花，上红下白，子黑光而扁。有似莨菪根，似蒿根而白直下，独茎生根。又有一种花黄，名陶珠术，苗亦相似，恐不堪用。〔唐本注云〕此草苗高尺许，叶细软，花紫白色，实作角，子黑而扁光，似苋实而大，四月、五月生下湿地，荆襄人名为昆仑草。

地　〔图经曰〕生江淮州郡平谷，道傍皆有之。〔道地〕滁州。

时　〔生〕二月生苗。〔采〕三月取茎叶，六月、八月取子。

收　阴干。

用　子。

质　类鸡冠花子。

色　黑。

味　苦。

性　微寒，泄。

气　味厚于气，阴也。

主　恶疮，疥瘙，目肿，盲翳。

制　〔雷公云〕凡用，先烧铁臼杵，单捣用。

治　〔疗〕〔唐本注云〕苗，治温疠，捣汁服。〔药性论云〕子，治肝脏热毒冲眼，赤障，青盲，翳肿。〔日华子云〕子，治五脏邪气，镇肝，坚筋骨，去风寒湿痹。○苗，止金疮血。〔别录云〕子汁，疗鼻衄出血不止，以三合灌鼻中，瘥。〔补〕〔日华子云〕益脑髓，明耳目。

赝　思蓂子、鼠细子为伪。

藋菌

有小毒　植生

藋[1]菌[2]出神农本经。主心痛，温藋菌中，去长虫，白癣[3]，蛲[4]虫，蛇螫毒，癥瘕，诸虫。以上朱字神农本经。疽蜗，去蛔虫，寸白，恶疮。以上黑字名医所录。

---

① 藋：原注"音完"，目录原注"音桓"。
② 菌：原注"音郡"。
③ 癣：原注"音藓"。
④ 蛲：原注"音饶"。

名　藋芦、鹳菌。

苗　〔唐本注云〕渤海芦苇泽中咸卤地，自然有此菌尔，亦非鹳屎所化生也。其色白轻虚，表里相似，与众菌不同。然秋雨以时即有，天旱及霖，即稀也。〔食疗云〕又菌子有数种，槐树上生者良。野田中生者，恐有毒，生食之，杀人。

地　〔图经曰〕生东海池泽及渤海，武章、沧州皆有之。

时　〔生〕无时。〔采〕八月取。

收　阴干。

用　头、茎。

质　类蕈而大小不一。

色　白。

味　咸、甘。

性　平，微温。

气　气厚味薄，阳中之阴。

臭　朽。

助　得酒良。

反　畏鸡子。

制　杵末用。

治　〔疗〕〔药性论云〕除腹内冷痛，及治白秃疮。

合治　以清汁藋芦一两，合羊肉臛，日食一次，疗蛔虫攻心如刺。○为末，合猪肉作臛食之，疗蛔虫。

禁　仰卷、紫色及大耳青色、仰生者，皆不可食，发五脏风壅经络。多食动痔病，昏多睡，背膊四肢无力。

○ 草之草

白及

无毒　植生

白及 出神农本经。主痈肿，恶疮，败疽，伤阴，死肌，胃中邪气，贼风，鬼击，痱①缓不收。以上朱字神农本经。**除白癣，疥虫。**以上黑字名医所录。

---

① 痱: 原注"音肥"。

名 甘根、连及草。

苗 〔图经曰〕春生苗，高一尺许，似棕榈及藜芦，茎端生一苔。叶似杜若，两指大而青。四月开紫花，七月结实，熟时黄黑色，至冬叶凋。根似菱米，有三角，角端生芽。古方虽稀用，今人亦作糊用之。

地 〔图经曰〕生北山川谷、冤句、越山及江淮，河、陕、汉、黔诸州，近道皆有之。〔道地〕兴州、申州。

时 〔生〕春生苗。〔采〕二月、八月、九月取根。

收 暴干。

用 根。

质 类菱而大小不一。

色 黄褐。

味 苦、辛。

性 平、寒，泄。

气 气薄味厚，阴中之阳。

臭 香。

主 痈疽疮肿，生肌止痛。

助 紫石英为之使。

反 乌头，畏李核、杏仁，恶理石。

制 去芦须，剉碎用。

治 〔疗〕〔唐本注云〕手足皲[①]折，取嚼涂之，有效。〔药性论云〕治结热不消及阴下痿，并面上皯皰，令人肌滑。〔日华子云〕止惊邪，血邪，痫疾，赤眼，癥结，发背，瘰疬，肠风痔

————————

① 皲：原注"音军"。

瘘，刀箭疮，扑损，温热疟疾，血痢，汤火疮，风痹。〔别录云〕
鼻衄不止，以末津调涂山根，立愈。

滁州大戟

大戟

有小毒　丛生

大戟出神农本经。主蛊毒十二水，腹满急痛，积聚，中风，皮肤疼痛，吐逆。以上朱字神农本经。**颈腑痈肿，头痛，发汗，利大小肠。**以上黑字名医所录。

名 邛钜。

苗 〔图经曰〕春生红芽，渐长作丛，高尺许，叶似初生杨柳而小团，三四月开黄紫花，团圆似杏花，又似芫荑。根似细苦参，皮黄黑，肉黄白色。淮甸出者茎圆，高三四尺，花黄，叶至心，亦如百合苗。江南生者，叶似芍药。此品乃泽漆根也。

地 〔图经曰〕生常山及淮甸，江南皆有之。〔道地〕滁州、河中府、信州、并州。

时 〔生〕春生苗。〔采〕二月、八月、十二月取根。

收 阴干。

用 根。

质 类苦参而粗大。

色 皮黄肉白。

味 苦、甘。

性 大寒，泄。

气 气薄味厚，阴中微阳。

臭 焦。

主 利水道，去积聚。

助 小豆为之使。

河中府大戟

反 甘草，畏菖蒲、芦草、鼠屎，恶山药。

制 〔雷公云〕凡采得，于槐砧上细剉，与细剉海芋叶拌蒸，从巳至申，去芋叶，晒干用。

治 〔疗〕〔图经曰〕治瘾疹风及风毒脚肿，并煮水，热淋之，日再三便愈。〔药性论云〕破新陈恶血癥块，腹内雷鸣，通月水，善治瘀血。〔日华子云〕泄天行黄病，温疟，破癥结。

合治　合当归、橘皮各一两，水二升，煮取七合，顿服，治水肿无问年月深浅，虽脉恶亦宜服之，服后利水二三升。不愈，再服便瘥。须禁食毒物一年。

禁　妊娠不可服。

○ 草之草

泽漆

无毒　丛生

泽漆出神农本经。主皮肤热，大腹水气，四肢面目浮肿，丈夫阴气不足。以上朱字神农本经。利大小肠，明目，轻身。以上黑字名医所录。

名 漆茎。

苗 〔图经曰〕泽漆，大戟苗也。春生红芽，渐长作丛，高尺许，叶似初生杨柳而小团，三四月开黄花，团圆似杏花，又似芫菁。生时摘叶有白汁出，亦能啮人肉，故以为名。

地 〔图经曰〕生泰山川泽，及冀州、鼎州、明州皆有之。

时 〔生〕春生苗。〔采〕三月三日、七月七日取。

收 阴干。

用 茎、叶。

质 类新柳茎叶而团聚。

色 青。

味 苦、辛。

性 微寒，泄。

气 气薄味厚，阴中之阳。

臭 腥。

主 水肿，蛊毒。

助 小豆为之使。

反 恶山药。

治 〔疗〕〔药性论云〕利小便。〔日华子云〕止疟，消痰，去热。

合治 以三斤，用东流水五斗，煮取一斗五升，然后用半夏半升，紫参、生姜、白前各五两，甘草、黄芩、人参、桂心各三两，八物㕮咀，入泽漆汁中，煎取五升，每服五合，日三服，治肺咳上气、脉沉者，愈。○夏间取茎嫩叶十斤，入水一斗，研汁约二斗，于银锅内慢火熬如稀饧，用瓷器收贮，每日空心以一茶匙合温酒调服，治十种水气，以愈为度。

○ **草之草**

茵芋

有毒　植生

茵芋出神农本经。主五脏邪气，心腹寒热，羸瘦如疟状，发作有时，诸关节风湿痹痛。以上朱字神农本经。**疗久风湿走四肢，脚弱。**以上黑字名医所录。

名 莞草、卑共。

苗 〔图经曰〕春生苗，高三四尺，茎赤，叶似石榴叶而短厚，又似石南叶。四月开细白花，五月结实。

地 〔图经曰〕生泰山川谷，及雍州、华州、杭州皆有之。〔道地〕绛州、彭城。

时 〔生〕春生苗。〔采〕三月三日、四月、七月取根。

收 阴干。

用 茎、叶。

质 类石榴叶而短厚。

色 青。

味 苦。

性 温，泄。

气 气厚味薄，阳中之阴。

臭 朽。

主 祛风除湿。

制 剉碎炙用。

治 〔疗〕〔药性论云〕治男子、女人软脚毒风，并温疟发作有时。〔日华子云〕治一切冷风，筋骨怯弱，羸颤。

合治 合附子、天雄、乌头、秦艽、女萎、防风、防己、踯躅、石南、细辛、桂心各一两，切碎，以绢袋盛，合清酒一斗渍之，冬七日，夏三日，春秋五日药成，初服一合，日三，渐增之，治贼风，手足枯痹，四肢拘挛，瘥。

○ 草之走

赭魁

无毒　蔓生

赭[1]魁主心腹积聚，除三虫。名医所录。

---

① 赭：原注"音者"。

苗〔蜀本云〕其苗蔓延而生，叶似萝藦，根若菝葜，皮紫黑，肉黄赤。其大者轮囷如升，小者若拳。〔陶隐居云〕状如小芋子，肉白皮黄，梁汉人蒸食之。〔唐本注云〕叶似杜蘅，蔓生草木上，大者如斗，小者如升。陶所说者乃土卵尔，不堪入药。梁汉人名黄独，蒸食之，非赭魁也。

地〔图经曰〕生山谷中，所在有之。

时〔生〕春生苗。〔采〕二月取。

收 暴干。

用 根。

质 类芋而大小不一。

色 紫黑。

味 甘。

性 平，缓。

气 气厚于味，阳也。

臭 朽。

○ 草之草

贯众

有毒　植生

贯众出神农本经。主腹中邪热气，诸毒，杀三虫。以上朱字神农本经。**去寸白，破癥瘕，除头风，止金疮。**○花，疗恶疮，令人泄。以上黑字名医所录。

名　贯节、贯渠、百头、虎卷、扁符、伯萍、药藻、草鸱头。

苗　〔图经曰〕春生苗，赤叶大如蕨而少有花者。茎干三棱，叶绿色，似小鸡翎，又名凤尾草。根紫黑色，形如大瓜，下有黑须毛，又似老鸱。《尔雅》云：泺[①]，贯众。郭璞注云：叶圆锐茎，毛黑布地，经冬不死。《广雅》谓之贯节是也。〔蜀本云〕苗似狗脊，状如雉尾，根直多枝，皮黑肉赤，曲者名草鸱头也。

地　〔图经曰〕生玄山山谷及冤句、少室山，今陕西、河东州郡及荆襄间多有之。〔道地〕淄州。

时　〔生〕春生苗。〔采〕二月、八月取根。

收　阴干。

用　根。

质　类黑狗脊而有甲。

色　黑。

味　苦。

性　微寒。

气　味厚于气，阴中之阳。

臭　香。

主　消毒杀虫。

助　藋菌、赤小豆为之使。

制　去土、须用。

治　〔疗〕〔图经曰〕根，止鼻血，捣末，水调服一钱，效。○草鸱肉，疗头风。

---

① 泺: 原注"舒若切"。

○ 草之草

莞花

有毒　丛生

莞①花出神农本经。主伤寒温疟，下十二水，破积聚，大坚，癥瘕，荡涤肠胃中留癖，饮食寒热邪气，利水道。以上朱字神农本经。**疗痰饮，咳嗽**。以上黑字名医所录。

---

① 莞：原注"音饶"。

苗〔陶隐居云〕形似芫花而极细，色白。〔唐本注云〕今此种苗似胡荽，高二尺许，茎无刺，花细黄色，实与芫花全不相似也。

地〔图经曰〕生咸阳川谷及河南中牟，今所在有之。〔道地〕雍州。

时〔生〕春生苗。〔采〕六月取花。

收 阴干。

用 花。

色 黄。

味 苦、辛。

性 寒，泄。

气 味厚于气，阴中之阳。

臭 香。

主 下水肿，破积聚。

治〔疗〕〔药性论云〕治咳逆上气，喉中肿满，痤气，蛊毒，疟癖，气块。

○ 草之草

牙子

有毒　植生

牙子主邪气，热气，
疥瘙，恶疡，疮痔，
去白虫。神农本经。

名 狼牙、狼齿、狼子、大牙。

苗 〔图经曰〕苗似蛇莓而厚大，深绿色。根黑若兽之齿牙，故以名之。

地 〔图经曰〕生淮南川谷及冤句，今江东、京东州郡多有之。

时 〔生〕春生苗。〔采〕三月、八月取根。

收 暴干。

用 根。

质 类狼牙。

色 黑。

味 苦、酸。

性 寒，泄。

气 味厚于气，阴也。

臭 朽。

助 芜荑为之使。

反 恶地榆、枣肌。

治 〔疗〕〔图经曰〕治妇人阴疮。〔药性论云〕治浮风瘙痒，煎汁洗恶疮。〔日华子云〕杀腹脏一切虫，止赤白痢，煎服。〔别录云〕小儿阴疮，浓煮草汁洗之。○射工中人，已有疮者，取叶或根捣傅，又饮汁五六合，效。

合治 独茎者细捣，合腊月猪脂，傅蛇咬毒。以五两咬咀，用水四升，煮取半升，去滓，合苦酒一小盏，以绵濡汤沥患处，日四五次，治妇人阴蚀，若中烂伤者即愈。

禁 根中湿腐烂生衣者杀人。

○ 草之草

及己

有毒　植生

及己主诸恶疮，疥痂，
瘘蚀及牛马诸疮。名医
所录。

苗〔唐本注云〕此草一茎，茎头四叶，叶隙著白花，好生山谷阴处虚软地。根如细辛而黑，今以当杜蘅，非也。

地〔唐本注云〕处处山谷中有之。

时〔生〕春生苗。〔采〕二月取根。

收 日干。

用 根。

质 类细辛。

色 黑。

味 苦。

性 平，泄。

气 味厚于气，阴中之阳。

臭 朽。

制 洗去土用。

治〔疗〕〔药性论云〕单用治瘑疥。〔日华子云〕煎汤洗白秃疮，皮肤瘙痒并傅，效。

禁 不入汤药，入口使人吐血。

赝 杜蘅为伪。

羊踯躅

有大毒　植生

羊踯躅出神农本经。主贼风在皮肤，中淫，淫痛，温疟，恶毒，诸痹。以上朱字神农本经。邪气，鬼疰，蛊毒。以上黑字名医所录。

名 玉支。

苗 〔图经曰〕春生苗，高三四尺，叶似桃叶，夏开花似凌霄、山石榴、旋葍辈而正黄色。羊误食其叶，则踯躅而死，故以为名。一种今岭南、蜀道山谷遍生，皆深红色，如锦绣，然或云此种不入药用。

地 〔图经曰〕生太行山川谷及淮南山，今所在有之。〔道地〕润州、海州。

时 〔生〕春生苗。〔采〕三月、四月取花。

收 阴干。

用 花。

色 黄。

味 辛。

性 温，散。

气 气之厚者，阳也。

反 恶诸石及面。

禁 不入汤服。

润州羊踯躅

○ 草之草

藿香

无毒　丛生

藿香疗风水毒肿，去
恶气，霍乱，心痛。
名医所录。

苗〔图经曰〕二月生苗，茎梗甚密，作丛。叶似桑而小薄，六月、七月采，暴之乃芬香，须黄色，然后可收。又《金楼子》及俞益期《牋》皆云：扶南国人言众香共是一木，根便是栴檀，节是沉水，花是鸡舌，叶是藿香，胶是薰陆。详《本经》所以与沉香等共条，盖义出于此，然今南中所有乃是草类。《南方草木状》云：藿香榛生，吏民自种之。正相符合也。一云：形如都梁，可著衣服中，盖取其芬香尔。

地〔图经曰〕旧不著所出州土，今岭南郡多有之，人家亦多种植。〔别录云〕出交趾、九真诸国，蒙州，广东诸州。

时〔生〕二月生苗。〔采〕七月、八月取。

收 暴干。

用 叶。

质 类桑叶而小薄。

色 青黄。

味 甘、辛。

性 微温，散。

气 气之厚者，阳也。

臭 香。

主 温中快气，助脾开胃。

行 手、足太阴经。

制 去枝梗，水洗，去土用。

治〔疗〕〔图经曰〕治脾胃吐逆。〔汤液本草云〕温中下气，止呕及治口臭，上焦壅，煎汤嗽口。〔补〕〔汤液本草云〕补卫气，益胃进食。

合治 合乌药，顺气补肺。○合黄芪、参、术，补脾。

赝 棉^①花叶为伪。

---

① 棉：原作"绵"，据印本改。

○ 草之走

何首乌

无毒　蔓生

何首乌主瘰疬，消痈肿，疗头面风疮，五痔，止心痛，益血气，黑髭鬓，悦颜色。久服长筋骨，益精髓，延年不老。亦治妇人产后及带下诸疾。名医所录。

名　野苗、交藤、夜合、地精、陈知白、桃柳藤、赤葛。

苗　〔图经曰〕春生苗，叶叶相对，如山芋而不光泽。其茎紫色，蔓延于竹木墙壁间，生虽相远，夜则蔓交或隐化不见。夏秋开黄白花，似葛勒花。结子有棱，似荞麦而细小，才如粟大。秋冬取根，大者如拳，各有五棱瓣，似小甜瓜。此有二种，赤者为雄，白者为雌。〔日华子云〕此药有雌雄，雄者苗叶黄白，雌者苗叶黄赤。其药《本草》原名交藤，因何首乌见藤夜交，即采食之有功，因以采人为名耳。

地　〔图经曰〕出顺州、河南、西洛、嵩山，今岭外，江南诸州皆有之。〔道地〕怀庆府柘城县。

时　〔生〕春生苗。〔采〕春末、夏中、秋初，候晴明日取根。

收　日干。

用　根，雌雄相兼。

质　类茯苓，有棱瓣。

色　赤、白。

味　苦、涩。又云：甘。

性　微温。

气　气厚于味，阳中之阴。

臭　朽。

主　益气血，黑髭鬓。

助　茯苓为之使。

反　恶萝卜。

制　〔图经曰〕采得，以苦竹刀切之，米泔浸，经宿，暴干，木杵臼捣用之。一用大枣拌蒸，一用黑豆拌蒸，俱以枣豆熟为度。又法九蒸九暴，并勿犯铁器。

治〔疗〕〔日华子云〕治腹脏宿疾，一切冷气及肠风。〔补〕〔日华子云〕久服令人有子。

合治 以大有花纹者合牛膝各一斤同剉，以好酒一斤浸七日，暴干，木臼内捣为末，炼蜜丸如梧子大，每日空心酒下三五十丸，治骨软风，腰膝疼，行履不得，遍身瘙痒者。○末合生姜汁，调成膏，傅遍身皮里面痛，以帛裹之，用火炙鞋底，热熨之即瘥。○合艾各四两，用水煎令浓，于盆内洗疥癣，满身作疮，不可治者，浴之甚能解痛，生肌肉。

禁 与萝卜同食，令人髭鬓早白。

忌 铁器、猪羊血、无鳞鱼。

〔何首乌传〕昔何首乌者，顺州南河县人。祖名能嗣，父名延秀。能嗣常慕道术，随师在山。因醉夜卧山野，忽见有藤二株，相去三尺余，苗蔓相交，久而方解，解了又交，惊讶其异。至旦，遂掘其根，归问诸人，无识者。后有山老忽来，示之，答曰：子既无嗣，其藤乃异，此恐是神仙之药，何不服之。遂杵为末，空心酒服一钱，服数月似强健，因此常服。又加二钱服之，经年旧疾皆痊，发乌容少。数年之内即有子，名延秀，秀生首乌，首乌之名因此而得。生数子，年百余岁发黑。有李安期者，与首乌乡里亲善，窃得方服，其寿至长，遂叙其事。何首乌味甘，生温，无毒，茯苓为使。治五痔，腰膝之病，冷气心痛，积年劳瘦，痰癖，风虚败劣，长筋力，益精髓，壮气驻颜，黑发延年，妇人恶血，痿黄，产后诸疾，赤白带下，毒气入腹，久痢不止，其功不可具述。一名野苗，二名交藤，三名夜合，四名地精，五名首乌。本出处州，江南诸道皆有之。苗叶有光泽，又如桃李叶。雄苗赤根，远不过三尺，春秋可采，日干，去皮为末，酒下最良。有疾即用茯苓汤下为使。

常杵末，新瓷器盛服之，忌猪羊[①]血、无鳞鱼，触药无力。此药形大如拳连珠，其中有作鸟兽山岳之状，珍也。掘得去皮，生吃得味，甘甜休粮。赞曰：神效助道，著在仙书。雌雄相交，夜合昼疏。服之去谷，日居月诸。返老还少，变安病躯。有缘者遇，传之勿泄，最尔自如。明州刺史李远传录经验，何首乌所出顺州南河县，韶州、潮州、恩州、贺州、广州四会县、潘州，已上出处为上。邕州晋兴县、桂州、原州、春州、勤州、高州、循州，已上所出次之。其仙草五十年者，如拳大，号山奴，服之一年，髭鬓青黑。一百年者，如碗大，号山哥，服之一年，颜色红悦。一百五十年者，如盆大，号山伯，服之一年，齿落重生。二百年者，如斗大，号山翁，服之一年，颜如童子，行及奔马。三百年者，如三斗栲栳大，号山精，服之一年，延龄。纯阳之体，久服成地仙。

---

① 羊：原作"肉"，据"忌"项文改。

○ 草之草

商陆

有毒　植生

商陆出神农本经。主水
胀，疝瘕痹，熨除痈肿，
杀鬼精物。以上朱字神农
本经。疗胸中邪气，水
肿，痿痹，腹满洪，
直疏五脏，散水气。
如人形者有神。以上黑
字名医所录。

名 荡根、夜呼、白昌、当陆、
蓫薚、章陆、遂薚、马尾、蒫陆、
樟柳根。

苗 〔图经曰〕商陆，即樟
柳根也。春生苗，高三四尺，
叶青如牛舌而长。茎青赤，至
柔脆。夏秋开红紫花作朵，根
如芦菔而长。《尔雅》谓之遂薚，
《广雅》谓之马尾，《易》谓
之蒫陆，皆谓此商陆也。然有赤、
白二种，花赤者根赤，花白者
根白。白者入药，赤者见鬼神，
甚有毒，但贴肿外用，不可服也。
又一种名赤葛，苗叶绝相类，
不可服，服之伤筋消肾，须细
辨之。

地 〔图经曰〕生咸阳川谷，
今处处有之，多生人家园圃中。
〔道地〕并州、凤翔府。

时 〔生〕春生苗。〔采〕
二月、八月、九月取。

收 暴干。

用 根。

质 类芦菔而长。

凤翔府商陆

色 白、赤。

味 辛、酸。

性 平，散。

气 气之薄者，阳中之阴。

臭 腥。

主 水气浮肿。

助 得大蒜良。

制 〔雷公云〕每修事，先以铜刀刮去上皮，薄切，以东流水浸两宿。然后漉出，架甑蒸以豆叶一重、商陆一重，如斯蒸，从午至亥，去豆叶，暴干，细剉用。若无豆叶，以豆代之。

治 〔疗〕〔图经曰〕治喉中卒被毒气攻痛，及疮中毒，并切根，炙令热，隔布熨之，冷即易，立愈。〔药性论云〕泻十种水病。〔日华子云〕通大小肠，泻蛊毒，燧肿毒，敷恶疮。〔别录云〕治石痈坚如石不作脓者，取生根捣，擦之，燥即易，以软为度。

合治 初生根合鲤鱼煮汤，疗水肿。○以白者去皮切如小豆许一大盏，用水三升，煮取一升。候烂，合粟米一大盏，煮成粥，每日空心服一次，治气微利有效，不得杂食。○以白者六两，取汁半合，合酒半升，空心服，疗腹大水肿，当下水，瘥。小儿量与服之。

禁 赤者有毒，服之伤人，乃至利血不已。妊娠亦不可服。

忌 犬肉。

赝 赤葛为伪。

○ 草之草

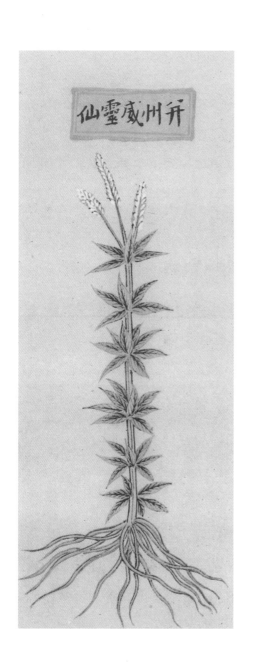

威灵仙

无毒　丛生

威灵仙主诸风，宣通五脏，去腹内冷滞，心膈痰水，久积癥瘕，痃癖气块，膀胱宿脓，恶水，腰膝冷疼及疗折伤。久服之，无温疫疟。名医所录。

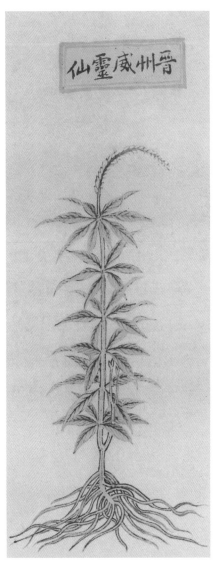

名 能消。

苗〔图经曰〕初生先于众草，茎方，叶似柳叶作层，每层六七叶，如车轮。有六层至七层者，七月内生花，浅紫或碧白色作穗，似莆台子。亦有似菊花头者，实青。根生稠密，多须似谷，岁久益繁，秋深朽败。尚有宿根，其性甚善，不触诸药。

地〔图经曰〕出商州上洛山及华山并平泽，今陕西州军等及

河东、河北、京东、江湖州郡
或有之。〔道地〕并州、晋州、
石州、宁化军。

　时〔生〕春初生苗。〔采〕
九月至十二月于丙丁戊己日采
根，以不闻水声者佳，余月并
不堪采。

　收 阴干。

　用 根。

　色 紫黑。

　味 苦、甘。

　性 温，泄。

　气 气厚味薄，阳也。

　臭 香。

　主 风湿疼痛。

　行 通十二经脉。

　制 去芦，水润，细剉，酒
炒用。

　治〔疗〕〔唐本注云〕治
腰肾脚膝积聚，肠内诸冷病，
积年不瘥者。

　合治 阴干捣末，合清酒调，
空腹服二钱匕，治重病足不履
地数十年者，如人本性杀药，
可加及六钱匕，利过两行则减

之，病除乃停服，忌饮茶及面汤。以甘草栀子汤代饮可也。○只一味洗，焙为末，合好酒和令微湿，入竹筒内，牢塞筒口，九蒸九暴。如干，添酒洒之。炼蜜丸如桐子大，每服二十丸至三十丸，空心白汤好酒任下，去诸风，通十二经脉，疏宣五脏，冷脓宿水及重病足不履地，并风狂人，伤寒头痛，鼻流清涕。服经二次即止，及头旋目眩，白癜风极，治大风，皮肤风痒，热毒风疮，深治劳疾连腰骨节，风遶，痰积，口中涎水，好吃茶滓，浮气瘴气，憎寒壮热，头痛甚者，攻耳成脓而聋。又冲眼赤，大小肠秘，服此立通。及黄疸、黑疸，面无颜色，瘰疬，产后秘涩，膈气，冷气攻冲，肾脏风壅，腹肚胀满，头面浮肿，脾肺气痰热，咳嗽气急，坐卧不安，疥癣痔疾等疮，妇人月水不来，动经多日，血气冲心。及孩子无辜，令母含药灌儿，并皆治之。○末合蜜丸如梧子大，于一更内生姜汤下十丸至二十丸，治大肠久冷。

禁 多服，疏人五脏真气。

忌 茶及汤。

○ 草之走

牵牛子

有毒　蔓生

牵牛子主下气，疗脚
满水肿，除风毒，利
小便。名医所录。

名　盆甑草、金铃、草金零。

苗　〔图经曰〕二月种子，三月生苗，作藤蔓递篱墙，长者或二三丈。其叶青色，有三尖角。七月生花，如铃蒂微红，瓣碧色，似鼓子花而大。其向阳者倍碧，向阴者则淡红，日未出时则开，日起即敛。八月结实，外有白皮，裹作球如白豆蔻状，每球内有子四五枚，如麦大，有三棱。然有黑、白二种。以气药引之则入气，以血药引之则入血也。〔罗谦甫云〕牵牛子，味辛烈，属火，善走，泻人元气，若病湿胜，湿气不得施化，致大小便不通，则宜用之。然湿病之根在下焦，是血分中气病，不可用辛辣气药泻上焦太阴之气也。凡人饮食劳倦，皆血受病，率以此药泻之，是血病泻气，使气血俱虚也。

地　〔图经曰〕旧不著所出州土，今处处有之。〔道地〕越州。

时　〔生〕春生苗。〔采〕九月取子。

收　暴干。

用　子。

质　类木猴梨中子。

色　黑、白。

味　苦。

性　寒，泄。

气　味厚于气，阴也。

臭　焦。

主　利水肿，消积滞。

助　得青木香、干姜良。

制　〔雷公云〕凡用，晒干，却，入水中淘，浮者去之。取沉者晒干，拌酒蒸，从巳至未，晒干，临用舂去黑皮或炒用。

治〔疗〕〔药性论云〕治痃癖气块，利大小便，除水气虚肿。

合治 合木香、干姜，治腰痛，下冷脓，泻蛊毒并一切气壅滞。○合山茱萸，去冷气。以二两捣末，合蜜丸如小豆大，每服五丸，生姜汤下，治风毒脚气。若胫肿满，捻之没指者，服后令小便利即愈。○以数两合童子小便浸一宿，用长流水上洗半日，却，用生绢袋盛挂当风处，令干，每日以盐汤下三十粒，治风气所攻，脏腑积滞及搜风，消虚肿，久服令人体清爽。○以一斤生捣末八两，余滓于新瓦上炒令香熟，再捣，取四两熟末共十二两，合蜜丸如桐子大，治男子妇人五般积气成聚至重者，三五十丸用陈皮生姜汤下，临卧空心服之，微利为效。若未动，再与三十丸，转下积聚之物。小儿十五已下至七岁已上者，服五丸至七丸，年老人不宜服。○以二两微炒，捣取其中粉一两，合麸炒去皮尖，桃仁末半两，以熟蜜丸如桐子大，每服温水下二三十丸，治大肠风秘，壅热结涩，病愈勿服。

禁 久服脱人元气，多食稍冷，妊妇不可服。

○ 草之木

蓖麻子

有小毒　附叶　植生

蓖①麻子主水癥，水研二十枚，服之吐恶沫，加至三十枚，三日一服，瘥则止。又主风虚寒热，身体疮痒，浮肿，尸疰，恶气，榨取油涂之。○叶，主脚气，风肿不仁，捣蒸傅之。名医所录。

---

① 蓖：原注"音萆"。

名 草麻。

苗〔图经曰〕夏生苗，叶似葎草而厚大。茎赤有节，如甘蔗而中空，高丈许。秋生细花，随结实，壳上有刺。实类巴豆，青黄斑褐，形如牛蜱，故以为名。〔唐本注云〕叶似大麻叶而甚大，其子如蜱。今胡中来者茎赤，树高丈余，子大如皂荚核，用之益良。

地〔图经曰〕旧本不著所出州郡，今在处人家皆有之。〔道地〕明州、儋州。

时〔生〕春生苗。〔采〕夏取茎叶，秋取实，冬取根。

收 暴干。

用 茎、叶、实、根。

质 类巴豆而斑褐。

色 碧。

味 甘、辛。

性 平，散。

气 气之薄者，阳中之阴。

主 产难，疥癞。

制〔雷公云〕凡使，先须和皮，用盐汤煮半日，去皮取子，

儋州萆麻

研过用。

治〔疗〕〔图经曰〕治胎衣不下，以七粒研如膏，涂脚心底，子及衣才下，便速洗去。不尔，肠出，即用此膏涂顶，肠当自入。〔日华子云〕治水肿腹满，细研五粒，水服。及傅疮痍疥癣。〔别录云〕治水气，以去皮壳者研令熟，水调三合，清旦顿服之，日中当下青黄水，愈。○治一切毒肿，疼痛不可忍，去皮壳傅之，瘥。○治难产，取二枚，令孕妇两手各持一枚，须臾立下。○治瘰疬，炒熟去皮壳，烂嚼二三枚，临睡时服，渐加至十数枚亦可。〔唐本注云〕叶止衄血，以油涂叶炙热，熨囟上，立验。

合治 去皮者，不拘多少，擘为二片，合剉碎黄连等分，用水浸七日，每日空心日午临卧，将浸水吞下一片，疗疠风，鼻塌及手指曲，节间痛不可忍，渐至脱落者，两月后便觉有效。若浸水少，旋添。如只腿胀，用针刺出毒物，忌食动风之物。○去皮者五枚，细研，合面一匙，水调，涂小儿丹瘤。○以一枚合朴消一钱，研细，用新汲水调服，治咽中疮肿，未效，进二三服，愈。○合蛤粉等分，研膏傅汤火伤，汤伤用油调，火伤用水调。

天南星

有毒　植生

天南星主中风,除痰,
麻痹,下气,破坚积,
消痈肿,利胸膈,散血,
堕胎。名医所录。

苗〔图经曰〕春生苗，似荷梗，茎高一尺以来，叶如蒟蒻，两枝相抱。五月开花，似蛇头，黄色。七月结子，作穗，似石榴子，红色。根似芋而圆，亦与蒟蒻根相类，人多误采，茎斑花紫是蒟蒻。一说天南星如《本草》所说，即虎掌也，小者名由跋，后人采用，乃别立一名尔。今天南星大者四边皆有子，采时尽削去之。〔陈藏器云〕半夏高一二尺，由跋高一二寸。此正误相反言也，今由跋苗高一二尺，茎似蒟蒻而无斑，根如鸡卵；半夏高一二寸，亦有盈尺者，根如小指正圆也。江南吴中又有白蒟蒻，亦曰鬼芋根，都似天南星，生下平泽极多，皆杂采以为天南星，了不可辨，市中所收往往是也。但天南星小，柔腻肌细，炮之易裂，差可辨尔。

地〔图经曰〕生平泽，今处处有之。〔陈藏器云〕生安东山谷。〔道地〕江宁府、滁州。

滁州天南星

时　〔生〕二月生苗。〔采〕二月、八月取根。

收　暴干。

用　根。

质　类蒟蒻根而小。

色　白。

味　苦、辛。

性　烈，散。

气　气厚于味，阳中之阴。

臭　朽。

主　祛风化痰。

反　畏附子、干姜、生姜。

制　姜汁浸透，炮过。或用白矾、皂荚煮去其毒，并晒干用。又以南星为末，装入腊月牛胆内，当风处阴干，入药用。

治　〔疗〕〔图经曰〕疗中风痰毒。〔陈藏器云〕主金疮，伤折瘀血，捣傅伤处，良。〔日华子云〕主蛇虫咬，疥癣，恶疮。

合治　合踯躅花并生捣，作饼子，蒸四五遍，以稀葛囊盛挂，候干为末，以蒸饼糊，丸如梧子大，每服酒下三丸，治风痛。若腰脚痛，空心服，手臂痛，食后服。○五月五日午时以大者合龙脑等分研细，入小磁器中密封，治急中风，目瞑牙噤，无门下药者，用一字或半钱以中指点末揩齿大牙，左右二三十指，其口自开，始得下别药，名开关散。○以一个当心作坑子，合雄黄一块在内，用面裹烧，候雄黄作汁，以盏子合定，出火毒，去面研末，入麝香少许，治小儿走马牙疳，蚀透损骨及小攻蚀者，拂疮上，验。○以一个重一两，换酒浸七伏时，取出，于新瓦上周回炭火炙令干裂，湿地去火毒，捣末，合朱砂一分研匀，每服半钱荆芥汤调下，治惊风坠涎，空心日午时进一二服。○以大者一个炮为末，每服一大钱，合生姜三片，水一盏，煎至五分，空心临卧各一服，治咳嗽。○以末三钱，合京枣三枚，水二盏，煎八分，温服，治吐泻不止，四肢发厥，虚风不省人事。服此四肢渐暖，神识便省，名回阳散。○合防风等分为末，醋调，贴破伤风疮强直者。

禁　妊娠不可服。

赝　鬼芋根为伪。

○ 草之草

三赖

无毒　丛生

三赖辟秽气，作面脂，疗风邪，润泽颜色。为末擦牙，祛风止痛及牙宣口臭。今补。

苗 〔谨按〕其根分莳，春月抽芽①直上，生一叶，似车前而卷。至秋旁生一茎，开碎花，红白色，不结子。其本旁生小根作丛，每根发芽，亦生一叶，至冬则凋。土人取根作段市之，其香清馥逼人可爱，今合香多用之。

地 出广东及福建皆有之。

时 〔生〕春生苗。〔采〕十月取根。

收 阴干。

用 根。

色 白。

味 辛。

性 温。

气 气之厚者，阳也。

臭 香。

制 碾细用。

---

① 芽：原作"牙"，据印本改。

八角茴香

八角茴香主一切冷气及诸疝痛。今补。

地 〔谨按〕《大明一统志》所载：土产占城国，今四川、湖广永州府祁阳等县所贡，多由舶上来者。苗叶传闻，未谙其的。据其形，大如钱，有八角，如车辐而锐，赤黑色，每角中有子一枚，如皂荚子，小扁而光明可爱，今药中多用之。又四川雅州出一种木蟹，其形与此无异，但六角，味酸，无香为别。然不闻入药，而市人多以此乱真，用者当细辨耳。

用 八角者佳。

色 赤黑。

味 辛、甘。

性 温，散。

气 气之厚者，阳也。

臭 香。

制 细剉，火炒用。

合治 合木香、乳香、川楝子、丁香、破故纸、香附子、胡芦巴、京三棱、甘草各一两，杜仲五钱，共为末，酒糊为丸，如桐子大，每服三十丸加至五十丸，空心用温酒或盐汤送下，日进三服，治男子小肠气肚疼，一切气积及补下元虚冷，脾胃不和，并宜服之，有效。○合沉香、木香、青盐、食盐各一钱，川楝肉、小茴香各二钱，新荔枝核十四个烧存性，为末，每服三钱，空心用热酒调下，治疝气阴核肿大，痛不可忍。○合木香、木通、槟榔、当归、赤芍药、青皮、泽泻、橘皮、甘草，入桂少许，姜三片，每服三钱，煎服，治冷气凝滞，小便淋涩作痛，身体冷。

赝 木蟹为伪。

两头尖

有毒

两头尖疗风及腰腿湿
痹痛。今补。

苗 〔谨按〕此种乃附子之类，苗叶亦相似，其根似草乌，皮黑肉白，细而两端皆锐，故以为名也。

地 出陕西。

时 〔生〕春生苗。〔采〕二月、八月取根。

收 暴干。

用 根。

色 皮黑肉白。

味 辛。

性 热。

气 气之厚者，阳也。

臭 朽。

制 捣碎，入药用。

赝 白附子经石灰水泡，皮皴皱者为伪。

佛耳草

无毒　丛生

佛耳草治寒嗽及痰，
除肺中寒，大升肺气。

今补。

苗 〔谨按〕此草春生苗，高尺余。茎叶颇类旋覆而遍有白毛，折之有绵，如艾且柔韧，茎端分歧，着小黄花，十数作朵瓣极茸细。今医家治寒嗽多用之，由其能升肺气而散寒邪故也。

地 江南多有。

时 〔生〕春生苗。〔采〕夏秋取。

收 阴干。

用 茎、叶、花。

色 花黄，叶绿。

味 辛。

性 热。

气 气之厚者，阳也。

臭 朽。

助 少用款冬花为使。

制 剉碎用。

治 〔疗〕治形寒饮冷痰嗽，经久不瘥者，煎汤细细咽之效。

合治 治风入肺久嗽不愈，用佛耳草同鹅管石、雄黄、款冬花为末，以鸡子清刷纸，卷药末作筒，烧烟，口衔吸之。又方用佛耳草同南星、郁金、鹅管石、款冬花为末，和姜、艾置舌上，以药艾于姜上灸之，取烟入喉中。

禁 过食损目。

三种海药余

瓶香谨按陈藏器云：生南海山谷，草之状也。味寒，无毒，主天行时气，鬼魅邪精等，并宜烧之。又于水①煮，善洗水肿浮气，与土姜、芥子等煎浴汤，风疟甚验也。

钗子股谨按陈氏云：生岭南及南海诸山，每茎三十根，状似细辛，味苦、平，无毒。主解毒，痈疽，神验。忠万州者佳，草茎功力相似，以水煎服。缘岭南多毒，家家贮之。

宜南草谨按《广州记》云：生广南山谷，有荚长二尺许，内有薄片似纸，大小如蝉翼，主邪，小男女，以绯绢袋盛一片佩之臂上，辟恶止惊。此草生南方，故作南北字，今人多以男女字，非也。宜男草者，即萱草是。

一十三种陈藏器余

草之草：狼把草　丛生

狼把草秋穗子并染皂，黑人须发，令人不老，生山道傍。

《图经》曰狼把草主疗丈夫血痢，不疗妇人。若患积年疳痢，即用其根，俗间频服有效。患血痢者，取草二斤，捣绞取汁一小升，内白面半鸡子许，和之，调令匀，空腹顿服之，极重者不过三服。若无生者，但收取苗阴干，捣为散，患痢者取散一方寸匕，和蜜

---

① 水：原作"木"，据《证类本草》及印本改。

水半盏服之，效。今按别录云：狼把草出近道，古方未见其用者，虽陈藏器尝言其黑人须发，令不老，生道傍。然未甚详悉。《太宗皇帝御书》记其主疗，甚为精至，谨用书于《本草图经外类》篇首云。

狼把草

蘮[①]**车香**味辛，温。主鬼气，去臭及虫鱼蛀蚛。生彭城，高数尺，白花。《尔雅》曰：蘮车，芎[②]舆。郭注云：香草也。《广志》云：黄叶白花也。《海药》云按《广志》云：生海南山谷。陈氏云：生徐州，微寒，无毒，主霍乱，辟恶气，薰衣甚好。《齐民要术》云：凡诸树木蛀者，煎此香冷淋之，善辟蛀蚛也。

朝生暮落花主恶疮，疽蜃，疥痛，蚁瘘等，并日干，末和油涂之。生粪秽处，头如笔，紫色，朝生暮死，小儿呼为狗溺台，又名鬼笔菌。从地出者，皆主疮疥，牛

---

① 蘮：原注"音挈"。
② 芎：原注"音乞"。

粪上黑菌尤佳。更有烧作灰，地经秋雨生菌重台，名仙
人帽，大主血。

冲洞根味苦、平，无毒。主热毒，蛇犬虫，痈疮等毒，
功用同陈家白药，苗蔓不相似，岭南恩州取根阴干。《海
药》云谨按《广州记》云：生岭南及海隅，苗蔓如土瓜，根相似，
味辛温，无毒，主一切毒气及蛇伤，并取其根磨服之，应是着诸般毒，
悉皆吐出。

井口边草主小儿夜啼，着母席下，勿令母知。

豚耳草主溪毒，射工，绞取汁服，滓傅疮上血。
别录云[1]豚耳多种，未知何是。菘菜白叶者，亦名豚耳。《颜
氏家训》：马苋，一名豚耳，马齿苋也。又车前叶圆者亦名豚耳。

灯花末傅金疮，止血生肉，令疮黑。今烛花落有喜事。
不尔，得钱之兆也。

千金鑺草主蛇蝎虫咬等毒，取草捣傅疮上，生肌止痛。
生江南，高二三尺也。

断罐草主疔疮，合白牙堇[2]菜、青苔、半夏、地骨皮、
蜂窠小儿发、绯帛并等分，烧作灰，五月五日和诸药末，
服一匕，下根出也。

百草灰主腋臭及金疮，五月五日采。露取之一百种，
阴干，烧灰，作以井花水为团，重烧令白，以酽醋和为

---

① 别录云：《证类本草》作"百一方"。
② 堇：原注"耻六反，羊蹄菜也"。

饼，腋下挟之，干即易，当抽一身痛闷，疮出即止。以水、小便洗之，不过三两度。又主金疮，止血生肌，取灰和石灰为团，烧令白，刮傅疮上。

产死妇人冢上草主小儿醋疮，取之勿回顾，作浴汤洗之不过三度，佳。

孝子衫襟灰傅面奸。

灵床下鞋履主脚气。

本草品汇精要卷之十三

本草品汇精要

·卷之十四·

草 部
下品之中

一十四种　**神农本经** 朱字

一十种　**名医别录** 黑字

一十四种　**唐本先附** 注云唐附

七种　**宋本先附** 注云宋附

一十二种　**陈藏器余**

已上总五十七种，内一十六种今增图

羊蹄_{酸模附}　　　　菰根_{菰荍附}　　　　萹蓄

狼毒　　　　　　　豨①莶②_{唐附}　　　马鞭草

苎根　　　　　　　白头翁　　　　　甘蕉根_{芭蕉油附}

芦根　　　　　　　鬼臼　　　　　　角蒿_{唐附，虀蒿附，今增图}

马兜铃_{宋附}　　　　仙茅_{宋附}　　　　羊桃_{今增图}

鼠尾草　　　　　　女青_{今增图}　　　　故麻鞋底_{唐附，今增图}

刘寄奴③_{唐附}　　　　骨碎补_{宋附}　　　　连翘

续随子_{宋附}　　　　败蒲席_{编荐索附，今增图}　　山豆根_{宋附，石鼠肠附}

三白草_{唐附，今增图}　　蔄④茹⑤　　　　　蛇莓⑥汁⑦_{今增图}

金星草_{宋附}　　　　葎草_{唐附}　　　　　鹤虱_{唐附}

雀麦_{唐附，今增图}　　　瓮带灰_{唐附，今增图}　　赤地利_{唐附}

乌韭_{今增图}　　　　白附子_{今增图}　　　紫葛_{唐附}

独行根_{唐附，今增图}　　猪膏莓_{唐附，今增图}　　鹿藿_{今增图}

蚤⑧休_{紫河车也}　　　石长生_{今增图}　　　乌蔹⑨莓_{唐附，今增图}

陆英　　　　　　　蒴藋　　　　　　预知子_{宋附}

---

① 豨：原注"音喜"。

② 莶：原注"音枕"。

③ 奴：此字后原有"草"字，据正文药名删。

④ 蔄：原注"音闾"。

⑤ 茹：原注"音如"。

⑥ 莓：原注"音每"。

⑦ 汁：原无，据正文药名补。

⑧ 蚤：原注"音早"。

⑨ 蔹：原注"音敛"。

一十二种陈藏器余

虻母草	故蓑衣结	故炊帚
天罗勒	毛蓼	蛇芮草
万一藤	螺厣草	继母草
甲煎	金疮小草	鬼钗草

本草品汇精要卷之十四

草部下品之中

○ 草之草

羊蹄

羊蹄

无毒　附根、实、叶、酸模
植生

羊蹄出神农本经。主头秃，疥瘙，除热，女子阴蚀。以上朱字神农本经。浸淫，疽痔，杀虫。以上黑字名医所录。

名 东方宿、连虫陆、鬼目、蓄、秃菜、金荞麦、蓫。

苗 〔图经曰〕春生苗，高三四尺，叶狭长，颇似莴苣而色深，茎节间紫赤，花青白成穗，子三棱有若荞蔚。夏中即枯，根似牛蒡而坚实。《诗·小雅》云：言采其蓫。陆机云：蓫，即今之羊蹄也。又有一种极相类而叶黄，味酢，名酸模。《尔雅》所谓须薞①，芜。郭璞云：蓫，芜，似羊蹄，叶细，味酢可食，一名蓨②是也。

地 〔图经曰〕生陈留川泽，今所在有之。

时 〔生〕春生苗。〔采〕夏取根，秋取实。

收 日干。

用 根、实、叶。

质 根似牛蒡而坚实。

色 苍白。

味 苦。

性 寒，泄。

气 味厚于气，阴也。

主 癣疮，杀虫。

治 〔疗〕〔唐本注云〕实，除赤白痢。○根，疗蛊毒。〔日华子云〕根，杀一切虫，并癣。○叶，治小儿疳虫。○酸模，主小儿壮热。〔衍义曰〕根，研取汁三二匙，水半盏，煎一二沸，空肚温服，治产后风秘。〔别录云〕羊蹄根、叶，烂煮一碗，食之，疗肠风痔，泻血不止。〔陈藏器云〕酸模，叶酸美，小儿折食其英。

---

① 薞：原注"音孙"。
② 蓨：原注"音修"。

根，除暴热腹胀。捣汁服，当下痢，杀皮肤小虫。

合治 根于生铁上合醋磨，旋旋刮取，涂疬疡风。未瘥，更入硫黄少许同傅之。〇合酢傅漏瘤疮湿癣痒，浸淫日久，痒不可忍，搔之黄水出，瘥后复发者。〇合醋磨，贴肿毒，效。〇根，捣汁合腻粉少许，调如膏，傅癣疮久不瘥者，干即用猪脂和傅。

禁 不宜多食。

解 杀胡夷鱼、鲑鱼、檀胡鱼毒。

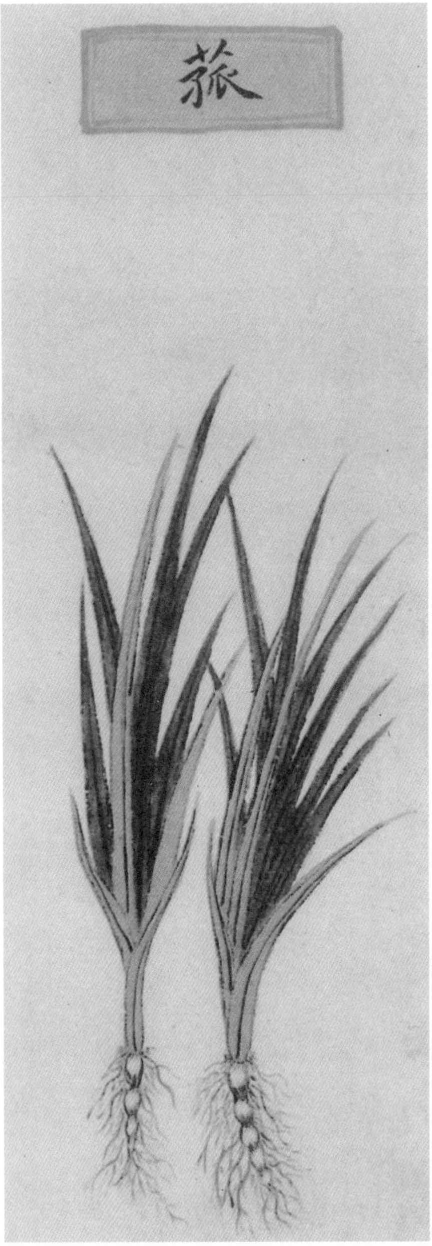

菰根

无毒　附菰葑　丛生

菰根主肠胃痼热，消渴，止小便利。名医所录。

名　茭草、茭白、茭手、菰菜、菰手、乌郁、茭郁、蘧蔬。

苗　〔图经曰〕生水中，叶如蒲、苇辈。江南人谓之茭草，刈以养马甚肥。春亦生笋，甜美堪啖，即菰菜也，又谓之茭白。岁久者中心生白苔，如小儿臂，谓之菰手。今人作菰首，非是《尔雅》所谓蘧蔬。注云：似土菌，生菰草中，正谓此也。故南方人至今谓菌为菰，亦缘此义尔。其苔中有黑者，谓之茭郁，其根亦如芦根，冷利更甚。浙济下泽处一种菰草，其根相结而生，谓之菰菂。刈去其叶便可耕莳，其苗有茎梗者，谓之菰蒋草，可作荐，花穗如苇，结青子，细若青麻黄，长几寸，彼人收之，谓之雕胡米，合粟为粥，食之甚济饥。此杜甫所谓顾作冷秋菰是也。古人以为美馔，今饥岁采以当粮。《西京杂记》云：汉太液池边皆是雕胡，紫箨绿节，蒲丛之类。菰之有米者，长安人谓为雕胡。葭芦之米，解叶者紫，箨菰之有首，谓之绿节也。

地　〔图经曰〕出江湖陂泽中，今在处有之。

时　〔生〕春生苗。〔采〕七月、八月取。

用　根、实、苔、叶。

质　类蒲根。

色　白。

味　甘。

性　大寒。

气　气之薄者，阳中之阴。

臭　朽。

主　除积热。

治　〔疗〕〔日华子云〕菰叶，利五脏。〔陈藏器云〕菰菜，去烦热，止渴，除目黄，利大小便，止热痢。○菰手，煮食之，止渴。

○乌郁，止小儿水痢。〔孟诜云〕菰菜，利五脏，邪气，酒皶，面赤，白癞，疬疡，目赤。○茭手，去心胸中浮热风，滋人齿。〔别录云〕菰蒋节末，以傅小儿风疮久不瘥者，及封毒蛇啮疮口，效。

合治　菰菜，合盐醋煮食之，疗热毒风气，卒心痛。○菰菜，合鲫鱼为羹食之，开胃口，解酒毒。○菰蒋根，烧灰合鸡子黄，封汤火疮。

禁　菰菜滑中，不可多食。○茭手，食之发冷气，伤阳道，令下焦冷滑。

忌　茭手，杂蜜食之，发痼疾。○菰叶，食巴豆人不可食。

○ 草之草

萹蓄

无毒　丛生

萹①蓄出神农本经。主浸
淫，疥瘙，疽痔，杀
三虫。以上朱字神农本经。
疗女子阴蚀。以上黑字
名医所录。

---

① 萹：原注"音褊"。

名 萹竹。

苗 〔图经曰〕春中布地，生道傍，苗似瞿麦，叶细绿如竹，赤茎如钗股，节间花出甚细，微青黄色，其根如蒿根。《尔雅》云：竹，萹蓄。郭璞注云：似小梨，赤茎节，好生道傍，可食。《卫诗》：绿竹猗猗。说者曰：绿，王刍也。竹，萹竹也。即谓此萹蓄也。

地 〔图经曰〕出东莱山谷，今在处有之。〔道地〕冀州。

时 〔生〕春生苗。〔采〕二月、八月取。

收 阴干或日干。

用 苗。

质 类瞿麦。

色 赤。

味 苦。

性 平，泄。

气 味厚于气，阴中之阳。

臭 腥。

主 痔疾，热黄。

治 〔疗〕〔陶隐居云〕煮汁饮，疗小儿蛔虫。〔药性论云〕除蛔虫咬，心痛，面青，口中沫出。临死者，取十斤细剉，以水一石煎，去滓仍煎如饴，空腹服之，虫自下，虫尽药止。○叶，捣汁顿服一升，主患痔疾及热黄。○根一握，洗去土捣汁服一升，疗丹石毒发冲目肿痛。又傅热肿，效。〔别录云〕疗恶疮连痂痒痛，捣烂傅之，痂落即瘥。

合治 汁溲面作馎饦，空心吃，治外痔，日三度，常吃效。○合豉汁中，以五味调和，煮羹食之，治霍乱吐痢不止者。

○ 草之草

狼毒

有大毒　植生

狼毒出神农本经。主咳逆
上气，破积聚，饮食，
寒热，水气，恶疮，
鼠瘘，疽蚀，鬼精，
蛊毒，杀飞鸟走兽。
以上朱字神农本经。**胁下
积癖**。以上黑字名医所录。

名 续毒。

苗 〔图经曰〕苗叶似商陆及大黄，茎叶上有毛，四月开花，八月结实，其根皮黄，肉白。以实重沉水者为良，浮虚轻者为劣也。

地 〔图经曰〕生秦亭山谷，奉高、宕昌、泰山、汉中、建平、秦州、成州，今陕西州郡及辽州亦有之。〔道地〕石州。

时 〔生〕春生苗。〔采〕二月、八月取根。

收 阴干。

用 根，陈久者良。

质 类玄参。

色 皮黄，肉白。

味 辛。

性 平，散。

气 气之薄者，阳中之阴。

臭 腥。

主 破积聚，心腹胀。

助 大豆为之使。

反 畏蜜陀僧，恶麦句姜。

治 〔疗〕〔药性论云〕除痰饮，癥痕，亦杀鼠。〔别录云〕为末，傅干癣，积年生痂，搔之黄水出，每逢阴雨即痒者。

合治 以二两，合附子半两，捣筛，蜜丸桐子大，一日服一丸，二日二丸，三日三丸，再一丸，至六日又三丸，自一至三常服，治心腹相连常胀痛者，效。○合秦艽等分为末，酒服方寸匕，日二，疗恶疾。○末一钱，合饧一皂子大，沙糖少许，以水同化，临卧空腹各一服，下脏内一切虫。

○ 草之草

豨莶

有小毒　植生

豨[1]莶[2]主热䘌，烦满
不能食。生捣汁服
三四合，多则令人吐。

名医所录。

---

① 豨：原注"音喜"。
② 莶：原注"音枚"。

名 火蔹、火枚草。

苗 〔图经曰〕春生苗，叶似芥菜而狭长，纹粗，茎高三四尺，秋初花开，黄白色如菊，秋末结实，颇似鹤虱。诸州所说皆云性寒有小毒，与《本经》意同，惟文州、高邮军云性热无毒，两说不同，盖系土地所产而然也。

地 〔图经曰〕《本经》不著所出州土，今处处有之。〔道地〕海州、文州、高邮军。

时 〔生〕春生苗。〔采〕三月、四月、五月五日、六月六日取苗叶。九月九日取花实。

收 暴干。

用 苗、叶、枝、花、实。

质 叶似芥而狭长。

色 黄白。

味 苦。

性 寒，泄。

气 味厚于气，阴也。

臭 香。

主 诸风。

制 〔图经曰〕净洗入甑中，层层洒酒，与蜜蒸之，又暴。如此九过用。

治 〔疗〕〔图经曰〕去肝肾风气，四肢麻痹，骨间疼，腰膝无力，亦能行大肠气及风湿疮，肌肉顽痹，妇人久冷。〔别录云〕治中风失音不语，口眼㖞斜，时吐涎沫。〔补〕〔图经曰〕补虚，安五脏，生毛发。〔别录云〕明眼目，乌髭发，壮筋力。

合治 五月五日采去地五寸者，摘枝叶，九蒸九暴，为末，丸如桐子大，合酒或米饮下二三十丸，治久患中风者，多服效。

○ 草之草

马鞭草

有小毒　植生

马鞭草主下部蜃疮。

名医所录。

苗〔图经曰〕春生苗，似狼牙，亦类益母而茎圆，高三二尺，抽三四穗，开紫花，似车前，其穗类鞭鞘，故名马鞭。按陈藏器云：若云马鞭鞘，亦未近之，其节生紫花如马鞭节故也。

地〔图经曰〕旧不载所出州土，今庐山、江淮郡皆有之。〔道地〕衡州。

时〔生〕春生苗。〔采〕七月、八月取。

收 日干。

用 苗叶。

质 类益母草而茎圆。

色 青。

味 甘、苦。

性 微寒，泄。

气 气薄味厚，阴中之阳。

臭 朽。

主 通月经，破癥瘕。

制 剉碎用。

治〔疗〕〔日华子云〕通月经，治妇人血气肚胀，月候不匀。〔别录云〕捣烂，涂蠼螋尿疮，效。又捣汁饮，疗食鱼鲙及生肉停滞胸膈不化，必成癥瘕者。又取一握，勿见风，截去两头，捣汁服，疗喉痹蹙肿，连颊吐气数者，名马喉痹。及涂男子阴，肿大如升，核痛，人所不能治者，效。

合治 作煎如糖，合酒服，主癥瘕，血瘕，久疟，破腹中血，皆下，又杀虫，及妇人月水滞涩不快，通结成瘕块，肋胀大欲死者，立效。

○ 草之草

苎根

无毒　植生

苎根主小儿赤丹。○渍
苎汁，疗渴。名医所录。

苗〔图经曰〕苗高七八尺，叶如楮叶，面青背白，有短毛，夏秋间著细穗，青花，其根黄白而轻虚。又有一种山苎亦相似。按陆机云：苎，一棵数十茎，宿根在地中，至春自生，不须栽种，荆、扬间岁三刈，官令诸园种之，岁再刈，便剥取其皮，以竹刮其表，厚处自脱，得裏如筋者煮之，用缉。今江、浙、闽中尚如此。

地〔图经曰〕旧本不载所出州土，今闽、蜀、江、浙，江左山南皆有之。

时〔生〕春生苗。〔采〕二月、八月取根。

收 暴干。

用 根、叶。

色 黄白。

味 甘。

性 寒、平，缓。

气 气之薄者，阳中之阴。

臭 朽。

主 安胎。

制 剉碎或捣汁用。

治〔疗〕〔图经曰〕苎根叶，熟捣，傅，疗痈疽发背初觉未成脓者，日夜数易之，肿消则瘥矣。〔唐本注云〕根，贴热丹毒肿。○沤苎汁，主消渴。〔日华子云〕根，除心膈热，漏胎下血，产前后心烦闷，天行热疾，大渴，大狂，服金石药人心热，署毒箭，蛇虫咬。〔陈藏器云〕苎麻与产妇枕之，止血晕及产后腹痛。以苎安腹上则止。〔别录云〕根，煮服，治五种淋疾。

合治 根二两，合银五两，酒一盏，水一大盏，同煎，去滓，不拘时候，温分二服，疗妊娠胎动欲堕，腹痛不可忍者，及疗妊娠忽下黄汁如胶或如小豆汁。

解 蚕咬人，毒入肉，饮汁解之。

○ 草之草

白头翁

无毒，《名医》云有毒
丛生

白头翁出神农本经。主
温疟，狂易，寒热，
癥瘕，积聚，瘿气，
逐血，止痛，疗金疮。
以上朱字神农本经。鼻衄。
以上黑字名医所录。

名 野丈人、胡王使者、奈何草。

苗〔图经曰〕正月生苗，作丛状，如白薇而柔细稍长，叶生茎端，上有细白毛而不滑泽，近根有白茸，正似白头老翁，故以名之。根紫色，深如蔓菁，二月、三月开紫花，黄蕊，五月、六月结实。其苗有风则静，无风自摇，与赤箭、独活同尔。

地〔图经曰〕〔生〕嵩山山谷，及近京州郡皆有之。〔道地〕商州、徐州。

时〔生〕春生苗。〔采〕二月取花，四月取实，七八月取根。

收 暴干。

用 根、茎、叶。

质 类软柴胡而有白茸。

色 黑。

味 苦。

性 温。

气 气薄味厚，阴中之阳。

臭 朽。

滁州白头翁

主 赤毒痢。

助 豚实为之使，得酒良。

制 剉碎用。

治 〔疗〕〔药性论云〕止腹痛，齿痛，及项下瘤疬，百骨节痛。〔日华子云〕治一切风气，明目消瘢子，功用与上茎叶同。〔别录云〕治阴癞，用白头翁根生者，不限多少，捣之，随偏肿处傅之，一宿当作疮，二十日愈。〇小儿秃，取白头翁根，捣傅，一宿或作疮，二十日愈。〔补〕〔日华子云〕暖腰膝。

○ 草之草

甘蕉根

无毒　附芭蕉油　植生

甘蕉根主痈肿，结热。

名医所录。

名 红蕉、水蕉、牙蕉。

苗〔图经曰〕春生苗，叶
与芭蕉相类。初夏卷心中抽干
作花，初生大萼如倒垂菡萏，
有十数层，层皆作瓣，渐大，
则花出瓣中，极繁盛，红者如
火炬，谓之红蕉；白者如蜡色，
谓之水蕉；其花大，类象牙，
谓之牙蕉。其实亦有青黄之别，
品类亦多，食之大甘美者是也。
然作花成实而甘者，谓之甘蕉；
不作花实者，乃芭蕉也。〔衍
义曰〕此种三年已上即有花自
心中出，一茎止一花，全如莲花，
瓣亦相似，但其色微黄绿，从
下脱叶，花心但向上生，常如
莲样。然未尝见其花心，剖而
视之亦无蕊，悉是瓣，但花头
常下垂。每一朵自中夏开，直
至中秋后方尽，凡三叶开则三
叶脱。落北地惜其种，人故少用，
缕其苗为布，取汁妇人涂发令
黑，余说如经。

地〔图经曰〕旧不著所出
州郡，今二广、闽中、川蜀、

南恩州甘蕉

江东皆有之。〔道地〕南恩州。

时　〔生〕春生苗。〔采〕秋取实，不拘时取根。

收　子暴干，用取油，以竹筒插皮中，如取漆用。

用　根、实、油。

色　青。

味　甘。

性　大寒。

气　气之薄者，阳中之阴。

臭　朽。

主　傅痈肿，去热毒。

制　根捣汁用。

治　〔疗〕〔图经曰〕芭蕉根汁，治时疾狂热及消渴，金石发动躁热，并饮之。○油，主暗风，痫病，涎作，晕闷欲倒者，饮之得吐便瘥。〔唐本注云〕甘蕉根捣汁服，主产后血胀闷，并傅肿，去热毒。〔日华子云〕生芭蕉根，治天行热狂，烦闷，患痈毒人并绞汁服，及梳头长益发，游风，风疹头痛，并研署傅之。○油，治头风热，并女人发落，止消渴及疗汤火疮。〔食疗云〕根，主黄疸。○子，生食止渴润肺，蒸熟暴之，令口开。春取仁食之，通血脉。〔别录云〕发背欲死者，捣芭蕉根，涂上，瘥。○小儿赤游，行于上下至心即死，捣芭蕉根汁，煎涂之。〔补〕〔食疗云〕子，蒸熟取仁食，填骨髓。

禁　子，生食发冷病，多动气疾。

○ 草之草

芦根

无毒　附蓬茸　丛生

芦根主消渴，客热，止小便利。名医所录。

名 蓬蕽花也。

苗 〔图经曰〕状都似竹而无枝，其叶抱茎而生，花白若茅作穗，根亦若竹而节疏阔。〔陶隐居云〕入药当掘取水底味甘辛者，其露出及浮水中者并不堪用。抑考芦、荻、薕、葭同类，俱生水傍下湿地，今人罕别，人家园圃植者，亦谓之芦，其干差大，深碧色者曰碧芦，亦难得。然则《本草》所用芦，今北地谓之苇者，皆可通用也。

地 〔图经曰〕旧不载所出州土，今在处下湿陂泽中皆有之。

时 〔生〕春生苗。〔采〕二月、八月取根。

收 暴干。

用 根。

色 青黄。

味 甘。

性 寒，缓。

气 气之薄者，阳中之阴。

臭 香。

主 胃热，消渴。

制 〔雷公云〕凡使，须要逆水芦，其根逆水生并黄泡，肥厚味甘者，采得后去节须，并上赤黄，了，细剉用。

治 〔疗〕〔图经曰〕根，水煮汁，顿服一升，止呕哕。○蓬茸一把，煮浓汁，顿服二升，治卒得霍乱，气息危急者。〔唐本注云〕根，主呕逆不下食，胃中热，伤寒患者弥佳。○花，水煮汁服，主霍乱，大效。〔药性论云〕根，解大热，开胃，治噎哕不止。〔日华子云〕根，疗寒热时疾，烦闷，妊孕人心热，并泻痢人渴。〔衍义曰〕根，水煎去滓，不拘时温服，除五噎，心膈气滞，烦闷，吐逆不下食。〔别录云〕根，三升煮浓汁，治干呕哕，若手足厥冷，及食狗肉不消，心下坚或膜胀，发热妄语者，并效。

解 食牛马肉中毒痒痛，及食鲈鱼肝、鮟鲌鱼中毒，并煮根汁解之。兼主中鱼蟹毒，服之尤佳。

○ 草之草

鬼臼

有毒　<u>丛生</u>

鬼臼出神农本经。主杀蛊毒，鬼疰，精物，辟恶气不祥，逐邪，解百毒。以上朱字神农本经。疗咳嗽，喉结风邪，烦惑，失魄，妄见，去目中肤翳，杀大毒，不入汤。以上黑字名医所录。

名　爵犀、马目毒公、九臼、天臼、解毒、害母草。

苗　〔图经曰〕叶似蓖麻、重楼辈，初生一茎，茎端一叶，亦有两歧者，年长一茎，茎枯为一臼，二十年则二十臼也。花生茎间，赤色，三月开，后结实。一说鬼臼生深山阴地，叶六出或五出，如雁掌，茎端一叶如伞盖，旦时东向，及暮则西倾，盖随日出没也。花红紫如荔枝，正在叶下，常为叶所蔽，未尝见日，一年生一叶既枯，则为一臼，及八九年则八九臼矣。然一年一臼生而一臼腐，盖陈新相易也，故俗名害母草，如芋魁、乌头辈亦然，新苗生则旧苗死，前年之魁腐矣。

地　〔图经曰〕生九真山谷及冤句，江宁府、滁、商、杭、襄、峡等州，荆门军亦有之，多生深山岩石之阴。〔道地〕舒州、齐州。

齐州鬼臼

时〔生〕正月生苗。〔采〕二月、七月、八月取根。

收 暴干。

用 根。

质 类南星而极大。

色 白。

味 辛。

性 微温，散。

气 气之厚者，阳也。

臭 朽。

主 鬼疰，蛊毒。

反 畏垣衣。

治〔疗〕〔药性论云〕除尸疰，殗①殜②，劳疾，传尸，瘦疾，辟邪气，逐鬼。

---

① 殗：原注"于劫切"。

② 殜：原注"余摄切"。

○ 草之草

角蒿

有小毒　附蘪蒿　<u>丛生</u>

角蒿主干湿䘌，诸恶
疮有虫者。名医所录。

苗〔唐本注云〕叶似蒿，花如瞿麦，红赤可爱，子似王不留行，黑色作角。〔衍义曰〕角蒿茎叶如青蒿，开淡红紫花，花大，约径三四分，花罢结角子，长二寸许，微弯。〔陈藏器云〕一种蘪蒿味辛，温，无毒。主破血，下气，煮食之。似小蓟。生高冈，宿根，先于百草，一名莪蒿。《尔雅》云：莪，萝，注云：蘪蒿也。《诗·小雅》云：菁菁者莪。陆机云：莪，蒿也，一名萝蒿，生泽田渐洳①处，似邪蒿而细棵，生三月中，茎香美可食，味颇似蒌蒿也。

地〔蜀本图经云〕所在皆有之。

时〔生〕三月生苗。〔采〕七月、八月取。

收 暴干。

用 茎、叶。

质 类蒿而作角。

色 青。

味 辛、苦。

性 平，散。

气 气之薄者，阳中之阴。

臭 香。

主 口疮。

制〔雷公云〕凡采得，并于槐砧上细剉用。

治〔疗〕〔衍义曰〕治口齿。〔别录云〕烧灰，疗齿龈宣露，多是疳者，夜涂龈上，切忌油腻、沙糖、干枣。及口中疮久不瘥，入胸中并生疮者，涂之一宿，口中若有汁，吐之，效。亦贴小儿口疮，妙。

赝 红蒿、邪蒿为伪。

---

① 洳：原注"如庶切，渐湿也"。

○ 草之走

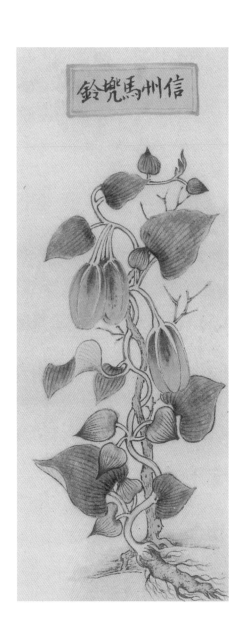

马兜铃

无毒　蔓生

马兜铃主肺热咳嗽，
痰结喘促，血痔，瘘
疮。名医所录。

名〔根〕云南根、土青木
香、独行根。

苗〔图经曰〕春生苗，作
藤蔓，叶如山芋叶，六月开黄
紫花，颇类枸杞花，七月结实，
枣许大，子状如铃，作四五瓣。
其根名云南根，似木香，小指
大，赤黄色，亦名土青木香。
〔衍义曰〕蔓生附木而上，叶
脱时铃尚垂之，其状如马项铃，
故得名。须于七八月间采之，
若熟则自析坼，间有子全者也。

地〔图经曰〕生关中、
河东、河北、江淮、夔浙州郡
亦有之。〔道地〕信州、滁州。

时〔生〕春生苗。〔采〕
二月取根，七月、八月取实。

收 暴干。

用 实、根。

质 类粟壳而圆小。

色 黄褐。

味 苦。

性 寒，泄。

气 味厚于气，阴也。

滁州马兜铃

臭 朽。

主 咳嗽喘促。

制〔雷公云〕凡使，采得后去叶并蔓了，用生绢袋盛于东屋角畔，悬令干，劈作片，取向裹子，去草膜并皮用。

治〔疗〕〔图经曰〕实，主肺病。○根，消气，下膈，止刺痛。〔药性论云〕实，主肺气上急，坐息不得，并咳逆连连不止。〔日华子云〕根，除痔瘘疮，以药于饼中，烧熏患处。〔别录云〕根，三两为末，分为三贴，以水一盏煎五分，去滓顿服，治五种蛊毒，当吐蛊出，未快再服，以快为度。○草蛊术在西凉更西方及岭南，人若行此，毒入人咽刺痛欲死者，苗一两为末，以温水调下一钱匕，即消化蛊出，效。○蛇蛊食饮中得之，咽中如有物，咽不下吐不出，心闷热，服兜铃即吐出。

合治 净取子二两，酥半两，入碗内拌匀，慢火炒干，合甘草一两炙，二味为末，每服一钱，水一盏，煎六分，温呷或为末含咽津亦得，治肺气喘嗽。

○ 草之草

仙茅

有毒　植生

仙茅主心腹冷气，不能食，腰脚风冷挛痹不能行，丈夫虚劳，老人失溺，无子，益阳道。久服通神，强记，助筋骨，益肌肤，长精神，明目。名医所录。

名 独茅根、茅瓜子、婆罗门参。〔梵云〕阿轮干陀。

苗 〔图经曰〕其叶如茅，青色，软而稍阔，面有纵理，又似棕榈。至冬尽枯，春初乃生，三月有花如栀子黄，不结实。其根独茎而直，傍有短细根相附，肉黄白，外皮稍粗，褐色，其叶似茅，故名仙茅也。传云：十斤乳石不及一斤仙茅，表其功力耳。一种衡山出者，花碧色，五月结黑子，与此小异。

地 〔图经曰〕〔生〕西域及大庾岭。今蜀川、江湖、两浙诸州亦有之。〔道地〕戎州、江宁、衡山。

时 〔生〕春初生苗。〔采〕二月、八月取根。

收 暴干。

用 根。

质 类芍药而细小。

色 黄褐。

味 辛。

性 温，散。

江宁府仙茅

气　气之厚者，阳也。

臭　香。

主　心腹冷气，丈夫虚劳。

制　〔雷公云〕凡采得后用清水洗令净，刮上皮，于槐砧上用铜刀切豆许大，却，用生稀布装盛，于乌豆水中浸一宿，取出用酒湿拌了，蒸从巳至亥，取出暴干，锉碎用。彭祖单服法：以米泔浸去赤汁，出毒后无妨损。

治　〔疗〕〔日华子云〕除一切风气，开胃下气。〔海药云〕祛风，消食。〔补〕〔日华子云〕延年益寿，补五劳七伤。〔海药云〕补暖腰膝，清安五脏，强筋骨，明耳目。久服轻身，益颜色，填骨髓，益阳不倦。

忌　犯铁器，斑人须鬓。若食牛乳、黑牛肉，大减药力。

○ 草之走

羊桃

有毒　蔓生

羊桃出神农本经。主燎热，身暴赤色，风水积聚，恶疡，除小儿热。以上朱字神农本经。去五脏五水，大腹，利小便，益气，可作浴汤。以上黑字名医所录。

名　鬼桃、羊肠、铫①弋、苌楚、御弋、细子根。

苗　〔蜀本图经曰〕花叶似桃，子细如枣核，苗长弱即蔓生，不能为树，多生溪涧傍，南人呼为细子根也。〔尔雅云〕苌楚，铫弋，郭云：今羊桃也。叶似桃，花白，子如小麦，亦似桃。陆机云：叶长而狭，花紫赤色，其枝茎弱，过一尺引蔓于草上，《诗》所谓隰有苌楚是也。

地　〔图经曰〕生山林川谷及田野中。〔唐本注云〕多生沟渠隍壈之间。〔道地〕蜀川川谷。

时　〔生〕春生苗。〔采〕二月取。

收　阴干。

用　根、实。

质　似桃而极小。

色　赤。

味　苦。

性　寒，泄。

气　味厚于气，阴也。

主　诸疮疡。

治　〔疗〕〔唐本注云〕根，煮汁以洗风痒及诸疮肿。

合治　合酒浸服，主风热，赢老。○煮汁合少盐豉渍之，疗伤寒，毒攻手足痛。

① 铫：原注"音姚"。

○ 草之草

鼠尾草

无毒　植生

鼠尾草主鼠瘘，寒热，下痢脓血不止。白花者，主白下；赤花者，主赤下。名医所录。

名 蒴①、陵翘、乌草、水青。

苗 〔图经曰〕其苗夏生如蒿，茎端作四五穗，穗若车前，花有赤、白二色。《尔雅》谓：蒴，鼠尾，云可以染皂，草也。古治痢方多用之。

地 〔图经曰〕旧不载所出州土，云生平泽中，今所在有之。〔道地〕黔州。

时 〔生〕春生苗。〔采〕四月取叶，七月取花。

收 阴干。

用 叶、花。

色 叶青，花赤白。

味 苦。

性 微寒，泄。

气 味厚于气，阴也。

臭 香。

主 下瘘，诸痢。

制 剉捣为末，或煮汁用。

---

① 蒴：原注"音勒"。

女青

有毒　蔓生

女青主蛊毒，逐邪，
恶气，杀鬼，温疟，
辟不祥。神农本经。

名〔实〕雀瓢。

苗〔唐本注云〕此即雀瓢也，叶似萝藦，两叶相对，子似瓢，形大如枣许，名雀瓢。根似白薇，生平泽，茎叶并臭。《别录》云：叶嫩时似萝藦，圆端，大茎，实黑，茎叶汁黄白，亦与前说相似。《本经》云：蛇衔根，非也。若是蛇衔根，何得苗生益州，根在朱崖，相去万余里。然蛇衔亦自有条，信为二种，明矣。

地〔图经曰〕生朱崖。

时〔生〕春生苗。〔采〕八月取。

收 阴干。

用 茎、叶、汁。

质 类萝藦。

色 绿。

味 辛。

性 平，散。

气 气之薄者，阳中之阴。

臭 臭。

主 温疟寒热。

治〔疗〕〔陶隐居云〕带此屑一两，则疫疠不犯。

合治 末，内口中酒服，治大人、小儿卒患腹皮青黑赤，不能喘息，并治吐痢卒死。○以末一钱安喉中，合酒或水送下，治卒死，立活。

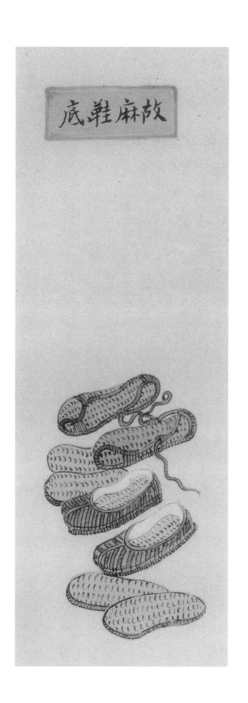

故麻鞋底

故麻鞋底主霍乱，吐
下不止。名医所录。

〔谨按〕此乃今人捆麻而成，如足之方，穿以代履，轻捷可以致远，故谓之千里马也。坏则弃于道傍，人取其鼻煎汤饮之，以治难产，亦取其轻捷之义尔。未产欲先验男女，得左者生男，得右者生女。盖左阳右阴，以为男女之先兆也。偶得覆者，其所产不免无虞矣。

名　千里马。

用　鞋底、鞋网绳、鞋尖头、鞋韊、鞋网带，俱败腐者良。

主　解毒，消渴。

制　烧灰或煮汁用。

治　〔疗〕〔陈藏器云〕底，主消渴，煮汁服之。○鞋尖头，二七为灰，岁朝用井花水调服之，主遗溺。〔别录云〕治蜈蚣螫人，用故麻鞋底炙，以揩之即瘥。○脱肛，以麻履底炙热，令频按即入。○烧麻鞋灰吹鼻中，疗鼻塞立通。○治鼻衄血，鞋韊烧作灰，吹鼻孔中效。

合治　取鞋网绳如枣大，妇人内衣有血者手大，钩头棘针二七枚，三物并烧作灰，以猪脂调，傅狐刺疮，出虫。○鞋底，烧令赤投酒煮粟壳汁中，服之，治霍乱转筋。○破草鞋和人乱发烧作灰，醋调，傅小儿热毒游肿。

解　煮汁服，解紫石英发毒，及解食牛马肉毒，腹胀，吐痢不止者。

○ 草之草

刘寄奴

无毒　植生

刘寄奴草主破血，下胀。名医所录。

名 金寄奴。

苗 〔图经曰〕春生苗，茎似艾蒿，上有四棱，高二三尺以来，叶青似柳，四月开碎小黄白花，形如瓦松，七月结实，似黍而细。一茎上有数穗互生，根淡紫色似莴苣，其苗、花、子入药，亦通用也。

地 〔图经曰〕生江南，今河中府、孟州、汉中及越州皆有之。〔道地〕滁州。

时 〔生〕春生苗。〔采〕六月、七月取苗，八月取实。

收 日干。

用 苗、花、子。

质 类艾蒿而有穗。

色 青绿。

味 苦。

性 温，泄。

气 味厚于气，阴中之阳。

主 心腹痛，通经脉。

制 〔雷公云〕凡使实，先以布拭上薄壳皮令净，拌酒蒸，从巳至申，出，暴干用之。

治 〔疗〕〔日华子云〕除心腹痛下气，水胀血气，通妇人经脉癥结，止霍乱，水泻。〔别录云〕疗金疮，止血，产后余疾，下血，止痛。又为末，治汤火疮，先以糯米浆扫汤著处，后掺末在上，并不痛亦无痕。大凡汤著处先用盐末掺之，护肉不坏，然后用药傅之至妙。

禁 多服令人痢。

骨碎补

无毒　寄生

骨碎补主破血，止血，补伤折。名医所录。

名 胡孙姜、石菴蕳、骨碎布、石毛姜、猴姜。

苗 〔图经曰〕春生叶，其根生大木或石上，多在背阴处引根成条，上有黄毛及短叶附之。又有大叶成枝，面青绿色，有黄点，背青白色，有赤紫点，无花实，至冬干黄，木名胡孙姜。唐明皇以其主折伤有效，故名骨碎补。〔衍义曰〕骨碎补，苗不似姜，姜苗如苇梢。此物苗，每一大叶两边小叶槎牙两相对，叶长有尖瓣，余如经。

地〔图经曰〕生江南，今淮浙、陕西、夔路州郡及岭南虔吉亦有之。〔道地〕海州、舒州、戎州、秦州。

时〔生〕春生苗。〔采〕无时取根。

收 暴干。

用 根。

质 类姜而细长。

色 赤黑。

味 苦。

性 温，泄。

气 气厚于味，阳中之阴。

臭 香。

主 折伤。

制〔雷公云〕凡使，采得后先用铜刀刮去上黄赤毛尽，细切用蜜拌令润，入柳甑蒸一日后出，暴干用。

治〔疗〕〔图经曰〕治耳聋，削作条子，火炮乘热塞耳中。亦入妇人血气药用。〔药性论云〕主骨中毒气，风血疼痛，五劳六极，口手不收，上热下冷。〔日华子云〕治恶疮蚀烂肉，

杀虫。〔别录云〕治虚气攻牙齿痛，血出牙龈痒痛，用二两细剉，炒令黑色，杵末如常，盥漱后，揩齿根下，良久吐之或临卧用，咽之无妨。

合治　取根捣筛，煮黄米粥和之，裹伤损闪折筋骨良。○捣筛为末，用炮猪肾同吃，治耳聋，亦能止诸杂痛。

○ 草之草

连翘

无毒　植生

连翘出神农本经。主寒热，鼠瘘，瘰疬，痈肿，恶疮，瘿瘤，结热，蛊毒。以上朱字神农本经。去白虫。以上黑字名医所录。

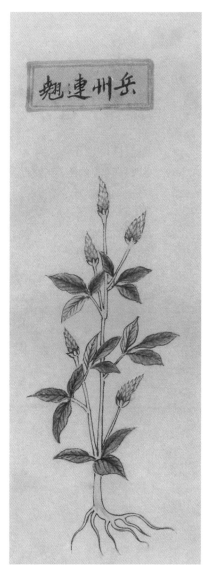

名 异翘、兰华、折根、三廉、连茗、连草、轵。

苗 〔图经曰〕翘有大小二种，生下湿地或山冈上。叶青色而狭长，如榆叶、水苏辈。茎赤色，高三四尺许，花黄可爱，秋结实，似莲作房，翘出众草，以此得名。根黄如蒿根，其小翘生冈原之上，叶花实皆似大翘而细，南方生者叶狭而小，茎短，才高一二尺，花亦黄，其房黄黑，内含黑子如粟粒。南中医家云：连翘盖

有两种，一种似椿实之未开者，壳小坚而外完无跗萼，剖之则中解，气甚芬馥，其实才干，振之皆落，不著茎也。一种乃如菡萏，壳柔，外有跗萼抱之，无解脉，亦无香气，干之虽久，著茎不脱，此甚相异也。今如菡萏者，江南下泽间极多。如椿实者乃是蜀中来，用之亦胜江南者。据《本草》言：则蜀中来者为胜，然未见其茎叶如何也。

地 〔图经曰〕生泰山山谷及河中、江宁府，润、淄、兖、鼎、岳、利州，南康军皆有之。〔道地〕泽州。

时 〔生〕春生苗。〔采〕八月取子、壳。

收 阴干。

用 子、壳。

色 黄褐。

味 苦。

性 平，微寒。

气 气味俱轻，阴中阳也。

臭 香。

主 心经客热，瘰疬，恶疮。

行 手、足少阳经，手、足阳明经，入手少阴经。

治 〔疗〕〔药性论云〕通利五淋，小便不通。〔日华子云〕排脓，治疥疮止痛，通月经。〔汤液本草云〕诸经客热，非此不能除，乃疮家圣药也。〔丹溪云〕泻心火，降脾胃湿热，治血症为中使。

合治 洗痔，以连翘煎汤洗讫，次用刀上飞过绿矾，入麝香少许，贴痔疮上，效。○合鼠黏子，治疮疡。

○ 草之草

续随子

有毒　植生

续随子主妇人血结，月闭，癥瘕，疙癣，瘀血，蛊毒，鬼疰，心腹疼，冷气，胀满，利大小肠，除痰饮，积聚，下恶滞物。茎中白汁，剥人面皮，去奸黯。名医所录。

名 拒冬、千金子、菩萨豆、联步、千两金。

苗 〔图经曰〕苗如大戟，初生一茎，茎端生叶，复出数茎相续，花亦类大戟，实青有壳，人家园亭中多种以为饰。秋种，冬长，春秀，夏实。

地 〔图经曰〕生蜀郡，处处有之。〔道地〕广州。

时 〔生〕夏结实。〔采〕秋月取。

收 暴干。

用 子。

色 苍褐。

味 辛。

性 温，散。

气 气之厚者，阳也。

主 恶疮、疥癣。

制 凡使，去壳研烂，以纸裹，用石压出油尽，复研用之。

治 〔疗〕〔日华子云〕宣一切宿滞，治肺气、水气。○叶汁，傅白癜，面䵟。

合治 研碎合酒服之，治积聚，痰饮，不下食呕吐，及腹内诸疾，不过三颗当下恶物。○取联步一两，即续随子是也，去壳，研，以纸裹用物压出油，重研末，分作七服，每治一人，只用一服，丈夫生饼子酒下，妇人荆芥汤下，凡五更服之，至晚自止，后以厚朴汤补之，治水气，频吃益善，仍不用吃盐醋，一百日瘥。○取七颗，去皮，合重台六分，二物捣筛为散，酒服方寸匕，治蛇咬肿毒闷欲死者，兼唾和少许，傅咬处立瘥。

禁 虚损人不可多服。

解 如服十粒泻多者，以酸浆并薄醋粥吃，即止。

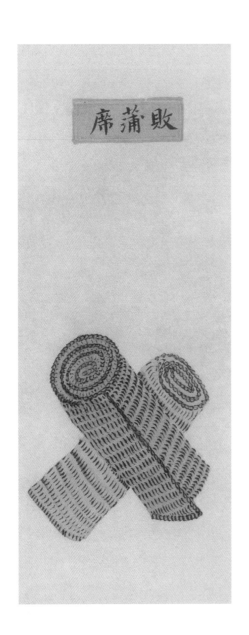

败蒲席

无毒　附编荐索

败蒲席主筋溢，恶疮。

名医所录。

用〔陶隐居云〕蒲席惟船家用，状如蒲帆尔。人家所用席皆是莞①草，而荐多是蒲，方家有用也。〔唐本注云〕席、荐一也，皆人卧之，以得人气为佳。青齐间，人谓蒲荐为蒲席，亦曰蒲盖②，谓藁作者为荐尔。山南江左，机上织者为席，席下重厚为荐，如《经》所说，当以人卧久破败者为佳，不论荐、席也。

色 黄褐。

性 平。

气 气之薄者，阳中之阴。

臭 朽。

主 妇人血崩。

制 烧灰或煮汁用。

合治 合蒲黄、赤芍药、当归、大黄、朴消，治从高坠下瘀血在腹刺痛，煎服之下瘀血。○取一握细切，浆水一盏煮汁，顿服，治霍乱转筋。○烧灰，合鸡子白，傅五色丹，俗名游肿，若犯多致死，不可轻易。○编荐索，烧作黑灰，用二指撮酒调服，主霍乱转筋。

---

① 莞：原注"音官"。
② 盖：原注"音合"。

山豆根

无毒　附石鼠肠　蔓生

山豆根主解诸药毒，止痛，消疮肿毒，人及马急黄发热，咳嗽，杀小虫。名医所录。

名 解毒、黄结、中药。

苗〔图经曰〕其叶青色，经冬不凋，苗蔓如豆根，以此为名也。今人寸截，含以解咽喉肿痛极妙。广南者如小槐，高尺余，石鼠食其根，人捕石鼠破取其肠胃，暴干，解毒攻热甚效。

地〔图经曰〕生剑南山谷，今广西亦有。〔道地〕宜州、果州，以忠万州者佳。

时〔生〕春生新叶。〔采〕八月取根。

收 暴干。

用 根。

色 黑黄。

味 苦、甘。

性 寒，泄。

气 气薄味厚，阴中之阳。

臭 朽。

主 止咽痹，消疮肿。

制 刮去皮，剉用。

治〔疗〕〔图经曰〕寸截含之，除咽喉肿痛。〔别录云〕密遣人水研，禁声，服少许，

山豆根

消蛊毒，如不止再服之，及治五种痔疾，并麸豆等疮。又止腹痛，入口即瘥。○末，水调服少许，治腹胀喘满闷。服二钱，除五般急黄，以水研傅热肿，并狗咬蛇咬，蚍蜉疮并效。

　　合治　捣末合油调涂，治头风。○捣末合蜜为丸，空心煎，水下二十丸，治赤白痢疾。○捣末合腊月猪脂，调涂疮癣。○捣末合油浸涂，治头上白屑，小儿乳汁，调半钱。○捣末，空心合酒调下三钱，治宿冷虫、寸白虫，其虫自出。○末，合酒调下二钱，治蛊气。○合橘皮汤下三钱，治霍乱。○末三钱，以热酒调，空心服之，治女人血气腹肿。○末，以唾和涂之，治蜘蛛咬疮。

○ 草之草

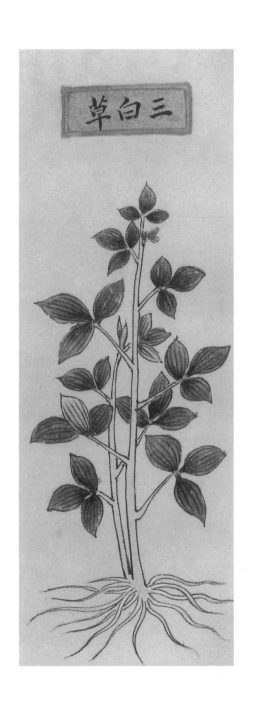

三白草

有小毒　植生

三白草主水肿，脚气，利大小便，消痰，破癖，除积聚，消疗肿。名医所录。

苗 〔唐本注云〕其叶如山药，又似菝葜，高尺许，根如芹根，黄白色而粗大。〔陈藏器云〕此草初生无白，入夏叶端半白如粉，农人候之莳田，三叶白，草便秀，故谓之三白草也。

地 〔图经曰〕生池泽畔。〔蜀本图经云〕出襄州。

时 〔生〕春生苗。〔采〕二月、八月取根。

收 暴干。

用 根。

质 类芹根而粗大。

色 黄白。

味 甘、辛。

性 寒，散。

气 气之薄者，阳中之阴。

臭 朽。

主 水肿脚气。

治 〔疗〕〔陈藏器云〕捣绞汁服，令人吐逆，除胸膈热疾，亦主疟及小儿痞满。

○ 草之草

蔄茹

有小毒　植生

蔄①茹②出神农本经。主蚀恶肉，败疮，死肌，杀疥虫，排脓，恶血，除大风热气，善忘不乐。以上朱字神农本经。去热痹，破癥瘕，除息肉。以上黑字名医所录。

————————
① 蔄：原注"音闾"。
② 茹：原注"音如"。

名 屈据、离娄、漆头。

苗 〔图经曰〕二月生苗，叶似大戟，而花黄色，根如萝卜，皮赤黄，肉白。初断时汁出凝，黑如漆，三月开浅红花，亦淡黄色，不著子。其根用之以漆头者良。又有一种草蔄茹，疮家亦用之，其根色白，采者烧铁烁头令黑，以当漆头，非真也。

地 〔图经曰〕生代郡川谷及河阳，齐州亦有之。〔陶隐居云〕今第一出高丽。〔道地〕淄州。

时 〔生〕春生苗。〔采〕四月、五月取根。

收 阴干。

用 根。

质 类萝卜而大小不一。

色 皮赤黄，肉白。

味 辛、酸。

性 寒，散。

气 气薄味厚，阴中之阳。

臭 腥。

主 去死肌，散恶血。

助 甘草为之使。

反 恶麦门冬。

治 〔疗〕〔陶隐居云〕疗疮。〔衍义曰〕治疥，马疥尤善。〔别录云〕用一两捣为散，不计时候，温水调下二钱匕。治缓疽。○伤寒毒攻咽喉肿，以如爪甲大一块内口中，嚼汁咽之，瘥。

○ 草之草

蛇莓汁

有毒　散生

蛇莓^①汁主胸腹大热不止。名医所录。

---
① 莓：原注"音每"。

苗〔蜀本云〕春生苗，茎端三叶，花黄，子赤，若覆盆子，根似败酱。〔衍义曰〕附地生，叶如覆盆子，但光洁而小，微有皱纹，花黄，比蒺藜花差大，春末夏初结红子，如荔枝色也。

地〔蜀本云〕生下湿处。〔衍义曰〕今田野道傍处处有之。

时〔生〕春生苗。〔采〕二月、八月取根，四月、五月取子。

用 根、子。

色 紫褐。

味 甘、酸。

性 大寒。

气 气薄味厚，阴中之阳。

臭 朽。

主 熁疮肿，傅蛇毒。

制 捣绞取自然汁用。

治〔疗〕〔陶隐居云〕除溪毒、射工毒、伤寒热。〔日华子云〕通月经。〔食疗云〕消胸胃热气，及主孩子口噤，以汁灌口中，死亦再活。〔别录云〕治天行热盛，口中生疮，绞自然汁一斗，煎取五升，稍稍饮之效。

合治 取汁三合，乌梅水渍令浓，合崖蜜饮之，日三，治毒攻手足肿痛。

禁 有蛇残不得食。

○ 草之草

金星草

无毒　植生

金星草主痈疽疮毒，发背痈肿，结核。用叶和根，酒煎服之，先服石药悉下，又可作末，冷水服及涂发背疮肿上，殊效。○根，碎之浸油，涂头，大生毛发。名医所录。

名 金钏草。

苗 〔图经曰〕生阴中石上
净处，及竹箐中不见日处，或
大木下或古屋上，此草惟单生
一叶，色青，长一二尺，至冬
大寒，叶背生黄星点子，两行
相对如金色，因得金星之名。
其根盘屈如竹根而细，折之有
筋，如猪马鬃，凌冬不凋，无
花实。

地 〔图经曰〕生西南州郡，
关陕、川蜀及潭、婺诸州皆有之。
〔道地〕施州、峡州。

时 〔生〕春生苗。〔采〕
五月取根，不拘时取叶。

收 风干。

用 叶、根。

色 深绿。

味 苦。

性 寒，泄。

气 味厚于气，阴也。

主 痈肿。

治 〔疗〕〔图经曰〕治发
背疮，捣末温水服方寸匕，及
涂疮上。

草星金州峡

合治 叶合根，火焙干，四两，生甘草一钱，俱末，分四服，用酒一升煎二三沸，更以冷酒和入瓶内封，时时饮之，治五毒发背，忌生冷、油腻、毒物。

禁 多服令人痢，及老年人不可辄服。

解 硫黄及丹石毒。

○ 草之走

葎草

无毒　蔓生

葎草主五淋,利小便,止水痢,除疟,虚热渴。煮汁及生汁服之。名医所录。

名 葛律蔓、来莓草、葛勒蔓。

苗 〔图经曰〕蔓生，有细刺，叶如蓖麻而小薄，花黄白，其子类大麻。

地 〔图经曰〕旧本不著所出州土，云生故墟道傍，今处处有之。

时 〔生〕春生苗。〔采〕四月、五月取茎、叶。

收 暴干。

用 茎、叶。

色 青绿。

味 甘、苦。

性 寒。

气 气薄味厚，阴中之阳。

主 利水道，解烦渴。

制 煮汁或生取汁用。

治 〔疗〕〔图经曰〕治疥癞生遍体者，用一担，以水二石煮取一石，以渍疮，不过三作乃愈。○治久痢成疳，取干蔓捣筛，量多少用管吹入谷道中，瘥。〔衍义曰〕治伤寒汗后虚热，剉研取生汁，饮一合，愈。

合治 捣生汁三升，酢二合相和，空腹顿服，治膏淋，当溺下如白汁，瘥。

○ 草之草

鹤虱

有小毒　植生

鹤虱主蛔、蛲虫。用
之为散，以肥肉、脿
汁服方寸匕，亦丸散
中用。名医所录。

名 鹄虱。

苗 〔图经曰〕春生苗，叶
皱似紫苏，大而尖长不光，茎
高二尺许，七月开黄白花似菊，
八月结实，子极尖细，干即黄
黑色。南人呼其叶为火杴，火
杴即豨莶也，虽花叶相类，而
别是一物，不可杂用之。〔唐
本注云〕子似蓬蒿子而细，合
叶茎用之，胡名鹄虱也。

地 〔图经曰〕生西戎，今江、
淮、衡、湘间皆有之。〔唐本
注云〕出波斯为胜，今上党亦有。
〔道地〕滁州、成州。

时 〔生〕春生苗。〔采〕
不拘时取子。

收 阴干。

用 子、叶、茎。

质 类蓬蒿子而细。

色 黄黑。

味 苦。

性 平，泄。

气 味厚于气，阴中之阳。

主 杀虫。

滁州鹤虱

治〔疗〕〔日华子云〕杀五脏虫，止疟及傅恶疮上。

合治 为末，和淡醋服半匕，治心痛立瘥。○取十两捣筛，蜜和丸如梧子大，以蜜汤空腹吞四十丸，日增至五十丸，疗蛔咬心痛，服之忌酒肉。○细研，以肥猪肉汁下，治小儿蛔虫啮心腹痛，五岁一服二分，虫出便止，余以意增减。

○ **草之草**

雀麦

无毒　<u>丛生</u>

雀麦主女人产不出，
煮汁饮之。名医所录。

名 蘥 、燕麦、牡牤草、牛星草。

苗 〔衍义曰〕苗似小麦而弱，其穗细长而疏，实似穬麦而细。今人谓之燕麦，即唐人所谓菟葵燕麦，动摇春风者是也。

地 〔图经曰〕生故墟野林下，今岭南在处亦有。

时 〔生〕春生苗。〔采〕夏取实、茎。

收 暴干。

用 实、茎。

质 类穬麦而细。

色 淡黄。

味 甘。

性 平，缓。

气 气之薄者，阳中之阴。

臭 朽。

主 催生，去虫。

治 〔疗〕〔别录云〕妊娠胎死腹中，若胞衣不下上抢心者，取一把，水五升，煮汁二升，服之，瘥。

合治 雀麦一味，合苦瓠叶三十枚，净洗，取麦剪长二寸，广一寸，厚五分，以瓠叶作五裹，子以三年酢渍之至日中，以两裹火中，炮令热，内口中，齿外边熨之，冷更易，取铜器贮水，水中解裹洗之，治齿蟹并虫积年不瘥者，即有虫长三分，老者黄色，少者白色，多即三二十枚，少即一二十枚。

○ 草之草

甑带灰

无毒

甑带灰主腹胀痛，脱肛。煮汁服，主胃反，小便失禁，不通及淋，中恶，尸疰，金疮刃不出。名医所录。

苗〔别录云〕江南以蒲为甑带，取久用者烧灰入药。盖甑带因久被蒸气，故能散气而通气也。

地〔别录云〕出江南。

用 久败烂者为佳。

色 黑黄。

味 辛。

性 温，散。

气 气之厚者，阳也。

臭 朽。

制 烧灰或煮汁用。

治〔疗〕〔别录云〕烧灰封金疮，止血止痛，出刃。又治小儿大便失血，用灰涂乳上，与饮之，瘥。及小儿脐疮久不瘥，烧灰傅之。如小儿夜啼，用甑带悬户上。并治草芒沙石眯目不出，烧灰水调服之。

○ 草之走

赤地利

无毒　蔓生

赤地利主赤白冷热诸痢，断血破血，带下赤白，生肌肉。名医所录。

名 山荞麦。

苗 〔图经曰〕春夏生苗，作蔓绕草木上，茎赤叶青，似荞麦、萝藦辈。七月开白花亦如荞麦，根若菝葜，皮黑，肉黄赤。〔蜀本云〕蔓生绕草木上，花子皆青色，根若菝葜，皮紫赤色。

地 〔图经曰〕旧本不载所出州土，今所在山谷有之。〔道地〕华州。

时 〔生〕春夏生苗。〔采〕八月取根。

收 暴干。

用 根。

质 类菝葜。

色 皮黑，肉黄赤。

味 苦。

性 平，泄。

气 味厚于气，阴也。

主 调血，止痢。

制 〔雷公云〕凡采得后细剉，用蓝叶并根并剉，惟赤地利细剉，了，用生绢袋盛，同蒸一伏时，去蓝暴干用。

治 〔疗〕〔别录云〕治小儿面及身上生疮如火烧，捣末粉之，良。

合治 取二两捣末，合生油调涂火烧疮，灭瘢。

○ 草之草

乌韭

无毒　散生

乌韭出神农本经。主皮肤
往来寒热，利小肠膀
胱气。以上朱字神农本经。
疗黄疸，金疮内塞，
补中益气，好颜色。
以上黑字名医所录。

名 石衣、石苔、石发。

苗 〔唐本注云〕此物即石衣也，亦曰石苔，又曰石发。生岩石之阴不见日处，与卷柏相类。〔陈藏器云〕生山石及木间阴处，茸茸然，长四五寸，青翠似苔而非苔也。

地 〔图经曰〕生山谷石上，及木间阴湿处有之。

时 〔生〕春夏。〔采〕无时。

收 阴干。

质 类卷柏而绿。

色 碧。

味 甘。

性 寒，缓。

气 气之薄者，阳中之阴。

主 黄疸，金疮。

助 垣衣为之使。

治 〔疗〕〔陈藏器云〕烧灰浴发，能令长黑。

○ 草之草

白附子

无毒　植生

白附子主心痛，血痹，
面上百病，行药势。

名医所录。

苗　〔蜀本图经云〕叶细，周匝生于穗间，出沙碛下湿地。
〔唐本注云〕生沙中，独茎似鼠尾草，叶生穗间，形如黑附子而小，
其色白，故名白附子也。

地　〔唐本注云〕出高丽，今凉州、巴西、蜀郡皆有之。
〔道地〕生东海新罗国。

时　〔生〕春生苗。〔采〕三月取根。

收　阴干。

用　根。

质　类乌头而小。

色　白。

味　甘、辛。

性　温，散。

气　气之厚者，阳也。

主　小儿惊风，面皯瘢疵。

制　面裹或湿纸包，火中煨炮用。

治　〔疗〕〔日华子云〕主中风失音，一切冷风气。〔别录云〕
治疥癣风疮，头面痕，阴囊下湿，腿无力，诸风冷气，亦入面脂用。

紫葛

无毒　蔓生

紫葛主痈肿恶疮。取根皮捣为末，醋和封之。名医所录。

苗〔图经曰〕春生冬枯，似葡萄而紫色，长丈许，大者径二三寸，叶似蒌蕿，根皮俱紫色。然有二种，此即是藤生者也。

地〔图经曰〕旧不著所出州土，今所在山谷皆有之。〔道地〕江宁府、台州、雍州。

时〔生〕春生苗。〔采〕三月、四月、八月取根。

收 日干。

用 根皮。

色 紫。

味 甘、苦。

性 寒，泄。

气 气薄味厚，阴中之阳。

主 痈疮肿毒。

制 细剉或捣末用。

治〔疗〕〔日华子云〕主痈缓挛急并热毒风，通小肠。〔别录云〕治产后血气冲心烦渴，取三两以水二升煎，取一升，去滓服之。又治金疮，生肌，破血，补损，取二两细剉，以顺流水三大盏，煎一盏半，去滓，食前分温三服，酒煎亦妙。

江宁府紫葛

○ 草之走

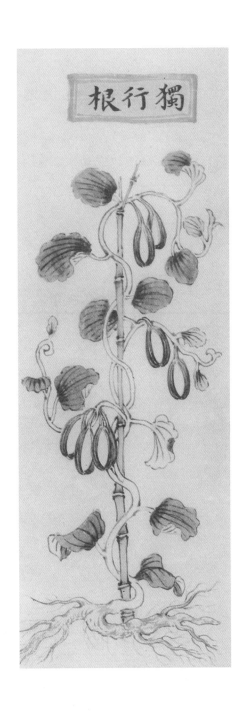

独行根

有毒,《日华子》云无毒
蔓生

独行根主鬼疰,积聚,
诸毒,热肿,蛇毒。
水磨为泥封之,日
三四立瘥。水煮一二
两,取汁服,吐蛊毒。
名医所录。

名 土青木香、兜铃根。

苗 〔唐本注云〕此即马兜铃根也，蔓生，叶似萝摩而圆且涩，花青白色。其子悬草木上如桃李，枯则头四开，若囊，中实似榆荚。其根扁，长尺许，作葛根气，亦似汉防己，山南名为土青木香也。

地 〔唐本注云〕生古堤城傍。〔蜀本云〕所在平泽草木丛林中有之。

时 〔生〕春生苗。〔采〕二月、八月取根。

收 暴干。

用 根。

质 类汉防己。

色 黄褐。

味 辛、苦。

性 冷，泄。

气 气薄味厚，阴中之阳。

臭 臭。

主 积聚，肿毒。

制 捣末或煮汁用。

治 〔疗〕〔日华子云〕治血气。〔衍义曰〕细捣，水调傅疔肿。

禁 多服，令人吐痢不止。

○ 草之草

猪膏莓

无毒　植生

猪膏莓[1]主金疮，止痛，
断血，生肉，除诸恶疮，
消浮肿。捣封之，汤渍，
散傅并良。名医所录。

---

① 莓：原注"音每"。

名　虎音、狗膏。

苗　〔蜀本云〕叶似苍耳而茎圆，两枝相对，茎叶俱有毛，黄白色。

地　〔唐本注云〕生平泽下湿地，所在皆有。

时　〔生〕春生苗。〔采〕五月、六月取苗。

收　日干。

用　苗。

质　类苍耳。

色　黄白。

味　辛、苦。

性　平，泄。

气　气之薄者，阳中之阴。

主　恶疮。

治　〔疗〕〔陈藏器云〕主久疟痰，生捣绞汁服，得吐出痰癖，效。亦碎，傅蜘蛛及虫蚕咬并蠷螋溺疮。〔别录云〕疗虎及狗咬疮，至良。

鹿藿

无毒　蔓生

鹿藿主蛊毒，女子腰
腹痛不乐，肠痈，瘰疬，
疡气。神农本经。

名　鹿豆、薗、葴①。

苗　〔唐本注云〕此草苗似豌豆，有蔓而长大，人取以为菜，亦微有豆气，名为鹿豆也。〔尔雅云〕薗，鹿藿，其实葴。郭云：鹿豆也，叶似大豆，根黄而香，蔓延而生。

地　〔图经曰〕生汶山山谷，今所在有之。

时　〔生〕春生苗。〔采〕五月、六月取苗。

收　日干。

用　苗。

质　类豌豆苗而长大。

色　青绿。

味　苦。

性　平，泄。

气　味厚于气，阴中之阳。

臭　腥。

主　疮疡。

治　〔疗〕〔别录云〕止头痛。

———————

① 葴：原注"实名"。

○ 草之草

蚤休

有毒　植生

蚤①休主惊痫,摇头弄舌,热气在腹中,癫疾,痈疮,阴蚀,下三虫,去蛇毒。神农本经。

---

① 蚤:原注"音早"。

名 蚤休、紫河车、重楼金线、重台、螫休、草甘遂。

苗 〔图经曰〕蚤休，即紫河车也。苗叶似王孙、鬼臼等，作二三层，六月开黄紫花，蕊赤黄色，上有金线垂下，秋结红子。根如菖蒲又似肥姜，皮赤肉白。〔衍义曰〕无傍枝，止一茎挺生，高尺余，颠有四五叶，叶有歧，似虎杖，中心又起茎，亦如是生叶，惟根入药用。

地 〔图经曰〕生山阳川谷及冤句，河中、河阳、华凤、文州，及江淮间亦有之。〔道地〕滁州。

时 〔生〕春生苗。〔采〕四月、五月取根。

收 日干。

用 根。

质 类肥菖蒲，肌细而脆。

色 皮赤，肉白。

味 苦。

性 微寒，泄。

气 味厚于气，阴也。

主 惊痫，癫疾。

制 洗去土。

治 〔疗〕〔日华子云〕治胎风搐手足，能吐泻瘰疬。

合治 合醋磨，疗痈肿，傅蛇毒，有效。

○ 草之草

生長石

石长生

有毒　丛生

石长生出神农本经。主寒热，恶疮，大热，辟鬼气不祥。以上朱字神农本经。下三虫。以上黑字名医所录。

名 丹草。

苗 〔陶隐居云〕俗中虽时有采者，方药亦不复用。是细细草，叶花紫色尔。南中多生石岩下，叶似蕨而细，如龙须草大，黑如漆，高尺余，不与余草杂也。〔唐本注云〕今市人用黪^①筋草为之，叶似青葙，茎细，茎紫色，今太常用者是也。〔药性论云〕石长生皮，亦云石长生也，味酸，有小毒，亦入药用。

地 〔图经曰〕生咸阳山谷。〔陶隐居云〕近道亦有之。

时 〔生〕春生苗。〔采〕五月、六月取茎、叶。

收 日干。

用 茎、叶。

色 黑。

味 咸、苦。

性 微寒，泄。

气 味厚于气，阴也。

臭 朽。

主 疮癣，诸虫。

治 〔疗〕〔药性论云〕疗疥癣，逐诸风，治百邪鬼魅。〔别录云〕下三虫。

---

① 黪：原注"音零"。

○ 草之草

乌蔹莓

无毒　蔓生

乌蔹[1]莓[2]主风毒，热肿，游丹，蛇伤。捣傅并饮汁。名医所录。

---

① 蔹：原注"音敛"。
② 莓：原注"音每"。

名 笼草、五叶莓、乌蔹草。

苗 〔图经曰〕蔓生，叶似白蔹，茎端五叶，花色青白，其子黑色，俗呼为五叶莓也。

地 〔唐本注云〕生平泽，及人家篱墙间所在有之。

时 〔生〕春生苗。〔采〕四月、五月取根、苗。

收 阴干。

用 根、苗。

色 青。

味 酸、苦。

性 寒，泄。

气 味厚于气，阴也。

主 散痈肿。

制 捣碎或取汁用。

治 〔疗〕〔蜀本云〕取根，捣以傅痈肿，多效。〔别录云〕根、叶，捣傅疮肿及蛇虫咬处。

○ *草之草*

陆英

无毒　植生

陆英主骨间诸痹，四
肢拘挛疼酸，膝寒痛，
阴痿，短气不足，脚肿。
神农本经。

苗〔图经曰〕春抽苗，茎有节，节间生枝，叶大似水芹及接骨。春夏采叶，秋冬取根茎，即蒴藋也。然蒴藋《本经》别立一条，陶隐居亦以为一物。苏恭云：药对及古方无蒴藋，惟言陆英。明非别物，今注以性味不同，疑非一种，谓其类尔。况亦不能细别。然陆英用花，蒴藋用根、茎、叶，盖一物而所用有别，故性味不同。何以明之？苏恭云：此叶似芹及接骨，花亦一类，故芹名水英，此名陆英，接骨名木英，此三英花叶并相似。又按《尔雅》云：华，荂①也。华荂，荣也。木谓之华，草谓之荣，不荣而实者，谓之秀，荣而不实者，谓之英。然此物既有英名，当是其花耳。故《本经》云：陆英立秋采，立秋正是其花时也。又《葛氏方》有用蒴藋者，有用蒴藋根者，有用叶者。三用名别，正与《经》载三时所采者相会，谓陆英为花，蒴藋根茎，无疑矣。

地〔图经曰〕生熊耳川谷及冤句。

时〔生〕春生苗。〔采〕立秋取花。

收 暴干。

用 花。

味 苦。

性 寒，泄。

气 味厚于气，阴也。

臭 香。

主 诸痹。

合治 陆英煎汤，合少酒浴之，能治风毒，脚气上冲，心烦闷绝，及主水气虚肿，风瘙，皮肌恶痒。

---

① 荂：原注"音敷"。

蒴藋

有毒　植生

蒴藋主风瘙，瘾疹，身痒，湿痹，可作浴汤。名医所录。

名　菫草、芨。

苗　〔谨按〕此即前条陆英苗也，同种异名，花谓之陆英，根茎叶谓之蒴藋。然其性味不同，收采时月亦异。故《本经》别立一条，正如泽兰之与地笋，蓬蘽之与覆盆，其义同也。

地　〔图经曰〕旧不载所出州土，但云生田野墟村甚多，今所在有之。

时　〔生〕春生苗。〔采〕春夏取叶，秋冬取茎、根。

收　暴干。

用　茎、叶、根。

色　青绿。

味　酸。

性　温，收。

气　气厚于味，阳中之阴。

臭　朽。

主　诸疮。

制　〔雷公云〕生用作煎，取根用铜刀细切，于柳木臼捣取自然汁，缓缓于锅子中煎如稀饧，任用。

治　〔日华子云〕治痫癫风痹，并煎汤浸，并叶用之。〔孙真人云〕治脚肿渐上，以茎叶埋热灰中令热，傅肿上，瘥，即止。〔别录云〕治风湿冷痹及妇人患伤冷腰痛不得动履，取叶，火燎，厚铺床上，趁热眠卧于上，冷复易之。冬月取根，舂碎，熬极热，准前用。治下部闭不通及脚气，取根一把，捣汁，水和绞去滓，强壮者服一升，瘥。治疟疾，用蒴藋一大握，炙令黄色，以水浓煎一盏，欲发前服。治熊伤人疮，取蒴藋一大把，剉碎，用水一升渍，须臾取汁饮，余滓以封裹疮上，效。治小儿赤游行于身上下至心即死，以蒴藋煎汁洗之。

　　合治　取根一小束，洗沥去水，细擘，以酒二升渍三宿，温暖服五合至一升，日三，治卒暴癥，腹中有物坚如石，痛欲死者。若欲速服，于热灰中温，令药味出，服之亦可。○取根一分，捣碎和酒醋共三分，合蒸熟，封裹脚，气从足至膝。胫痛骨疼者，一二日即消，亦治不仁。○根二升，合酒二升煮服之，治头风。○根，刮去皮捣汁一合，和酒一合，空心暖服，治水肿坐卧不得，头面身体悉肿者，当微吐利为效。

○ 草之走

预知子

无毒　蔓生

预知子杀虫，疗蛊，治诸毒。传云：取二枚缀衣领上，遇蛊毒物则闻其有声，当便知之。有皮壳，其实如皂荚子，去皮研服之，有效。名医所录。

名 仙沼子、圣知子、圣先子、圣无忧、盍合子。

苗 〔图经曰〕蔓生，依大木上，叶绿，有三角，面深背浅。七月、八月有实作房，初生青，至熟深红色，每房有子五七枚如皂角子，斑褐色，光润如飞蛾。取二枚缀衣领上，遇蛊毒则侧侧有声，当便知之，故有此名。今蜀人极贵重，云亦难得，又云双仁者带之尤胜。其根，冬月采之阴干，味苦性极冷，其效愈于子，山民目为圣无忧也。

地 〔图经曰〕旧不载所出州土，今淮、蜀、汉、黔诸州有之。〔道地〕壁州。

时 〔生〕春生苗。〔采〕秋取实，冬取根。

收 阴干。

用 子、根。

质 类皂荚子。

色 斑褐。

味 苦。

性 寒，泄。

气 味厚于气，阴也。

主 诸风，蛊毒。

制 去皮，研碎用。

治 〔疗〕〔图经曰〕中蛊毒，以根于石臼内捣为末，用水煎三钱匕，温服，立已。〔日华子云〕子，治一切风并疹癖气块，天行温疫，消宿食，止烦闷，利小便，催生，及中恶失音，发落，傅一切蛇虫蚕咬。单服，治一切病，每日取仁二七粒，患者服不过三千粒，永瘥。〔补〕〔日华子云〕子，补五劳七伤。

解 毒药。

一十二种陈藏器余

虻母草叶卷，如实中有血虫，羽化为虻，便能咬人。生塞北，草叶如葵。以叶合和桂，杵为末，傅人马，山行无复虻来。

故蓑衣结烧为灰，和油，傅蠼螋溺疮，佳。

故炊帚主人面生白驳①，以月蚀夜，和诸药烧成灰，和苦酒合为泥，傅之。

天罗勒主溪毒，按碎傅之疮上。天罗勒，生江南平地。

毛蓼主痈肿，疽瘘，瘰疬。杵碎内疮中，引脓血，生肌。亦作汤，洗疮兼濯足。治脚气。生山足，似乌蘽，叶上有毛，冬根不死也。

蛇芮草主蛇虺及毒虫等螫。取根、叶，捣傅咬处，当下黄水。生平地，叶似苦杖而小，节赤，高一二尺，种之辟蛇。又一种草，茎圆似芋，亦傅蛇毒。别录云②东关有草，状如苎③，茎方节赤，按傅蛇毒如摘却，亦名蛇芮草，二草总能主蛇，未知何者的是。又有鼠芮草，如菖蒲，出山上。取根药鼠，立死尔。

万一藤主蛇咬。杵筛，以水和如泥，傅痈上。藤蔓如小豆，生岭南，亦名万吉。

---

① 驳：原作"駮"，据科本改。
② 别录云：《证类本草》作"百一方"。
③ 苎：原作"芋"，据《证类本草》改。

螺厣草主痈肿,风疹,脚气肿,捣傅之,亦煮汤洗肿处。藤生石上，似螺厣，微有赤色，背有少毛。

继母草主恶疮。杵傅之，生塞北川原，有紫碧花，花有角，角上有刺，蒿之类也。亦名继母籍。

甲煎味辛，平，无毒。主甲疽疮及杂疮难瘥者，虫蜂蛇蝎所螫疼，小儿头疮、吻疮，耳后月蚀疮，并傅之。合诸药及美果花烧成灰，和蜡成口脂，所主与甲煎略同。三年者，治虫杂疮及口傍嚤疮、甲疽等疮。

金疮小草味甘，平，无毒。主金疮，止血，长肌，断鼻中衄血。取叶挼碎傅之。又预知石灰，杵为丸，日干，临时刮傅，亦煮服。断血瘀，及卒下血。生江南落野田间下湿地，高一二寸许，如荠，叶短，春夏间有浅紫花，长一粳米也。

鬼钗草味苦，平，无毒。主蛇及蜘蛛咬。杵碎傅之，亦杵绞汁。根生池畔，叶有桠，方茎，子作钗脚，着人衣如针，北人呼为鬼针。

本草品汇精要卷之十四